D1431823

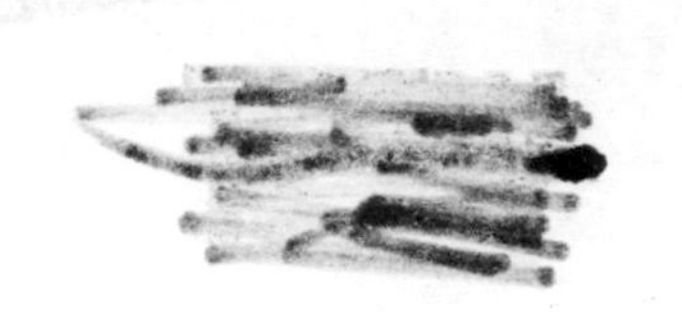

VISIÓN DE AMÉRICA

Alejo Carpentier

VISIÓN DE AMÉRICA

FRAGMENTOS DE UNA CRÓNICA DE VIAJES

LOSADA **OCEANO**

VISIÓN DE AMÉRICA

Alejo Carpentier

Selección y prólogo: Alejandro Cánovas

Eugenio Sue, 59, Colonia Chapultepec Polanco
Miguel Hidalgo, Código Postal 11560, México D.F.
Tel. 282 0082 Fax 282 1944

Primera edición: Enero, 1999
ISBN: 970-651-252-7
Impreso en España - Printed in Spain
Depósito legal: B-5798-99
019901

PRÓLOGO

Los objetos vistos con
los dos ojos
aparecerán más redondos
que los vistos con uno solo.

LEONARDO DA VINCI, *De la figura humana.*

Cuando hace medio siglo, un escritor cubano tocó con sus manos las entrañas de la Amazonia, quizá no sospechara la importancia que él mismo y el acontecimiento tendrían, al transcurrir el tiempo. Ese hombre transformaría su encuentro con América en una *visión*. Sin embargo, para *ver* en el futuro, es necesario evaluar el presente, transfigurarse en un Merlín, celoso de todo y de todos, proteger su *revelación* para ofrecerle al mundo la extraordinaria leyenda de un rey, un país, un continente y un siglo. Las revelaciones responden a la necesidad de los pueblos de tener sus *visionarios*.

En este libro encontraremos una primera página que revela el orgullo carpentieriano en ser americano, en descubrir, bien afincadas a la tierra, sus raíces americanas. Fue, para Alejo, una gran satisfacción durante toda su vida llevar los yugos de oro del abuelo Alfred Clerec Carpentier y sentía un legítimo honor por declararlo el primer americano de su familia.

Es curioso el hecho de –¡¿y qué cosas no nos sorprenden de Carpentier?!– cómo el tremendo novelista, el narrador de arte de orfebre, que fue este cubano, dejó una ensayística de dimensión universal cuyo resultado, especialmente, las consideraciones sobre el *etnos*, intentamos recuperar por sus notables valores en este tomo. Crónicas, discursos, conferencias y artículos, nos ofrece Alejo Carpentier en un sistema de ideas sobre la naturaleza americana, su sociedad y su pensamiento.

Nacido en 1904, el narrador cubano entraba en su madurez vital cuando emprendió un viaje por la Gran Sabana en 1947. Esto le hizo encontrar una realidad, que pretendía evocar, teorizar, definir, desde su estancia europea allá por la década del treinta. Esa entrada en un mundo de naturaleza por entonces aún virgen, violento, desconocido, gigantesco, produce varias reacciones en sus modos de expresión; por una parte, como creador literario y, por otra, como ensayista.

En su etapa vivida en Cuba –anterior a su estancia en Venezuela (1945-1959) y posterior a la de Francia (1928-1939)– se publicaron *Oficio de tinieblas* (1944) y *Viaje a la semilla* (1944), y se gestaron las novelas *El clan disperso* (jamás ofrecida a la imprenta) y *El reino de este mundo* (1949), surgido de un viaje a Haití en 1943, así como *La música en Cuba* (1946), un clásico dentro de la ensayística cubana.

Como ha de comprenderse, los años cuarenta fueron decisivos para el autorreconocimiento de Carpentier como novelista. El éxito de *El reino de este mundo*, rechazado anteriormente por un editor en México por parecerse más a un ensayo que a una novela –no vamos a negar que constituye un hecho sumamente curioso–, cimentó en él un estilo en el que se había «encontrado» a sí mismo con *Viaje a la semilla*, a mediados de esa década.

Como novelista, Carpentier redacta *Los pasos perdidos* (1953), obra que lo lanza al reconocimiento universal y que constituye el primer gran entorno narrativo de sus ideas americanas.

Como ideólogo, el Continente cobra, de inmediato, una dimensión fundamental, en particular en las cinco crónicas publicadas bajo el nombre de «Visión de América», en 1947, *El Nacional*, y en general en sus artículos de la sección «Letra y Solfa» (1951-1959), también pertenecientes al mismo periódico de Caracas. Más tarde, este periodismo contribuye a edificar un tipo de ensayo que tiene su culminación en tres hitos en su camino como demiurgo: el primero, *Tientos y diferencias* (México, 1964), el segundo, *Razón de ser* (Caracas, 1975) y el tercero *La novela latinoamericana en vísperas de un nuevo siglo y otros ensayos* (México, edición póstuma, 1981).

De modo que la selección inicial de las crónicas agrupadas bajo el nombre de *Visión de América* ofrece la oportunidad de conformar un libro que está integrado, de un lado, por fechas importantes, de 1947 hasta 1975, es decir, alrededor de tres décadas y, de otro, por una teoría sobre Nuestro Mundo que no es la que conocemos habitualmente en Carpentier.

La estructura de *Visión de América* intenta seguir de manera implícita el proceso lógico de aprehensión carpentieriana de un *mundo nuevo* al conocimiento *personal*. Debe tenerse en cuenta que, en primer término, sus creaciones narrativas son *variaciones* de un mismo tema esencial. Esta idea viene, evidentemente, del plano de sus teorías más profundamente elaboradas, y generales, sobre su realidad, y regresa al plano de la creación artística, y, por eso, es imposible desligar a Carpentier de su condición de productor de literatura. Por eso, aprovecho la ocasión para sugerir una hipótesis que sostengo en el análisis de la generalidad de la obra carpentieriana: el *tema*, la formulación artística encontrada para expresar los problemas de las realidades a las que alude este autor, pudiera sintetizarse en una concepción en la que, *mientras más técnica artística se encuentra en su obra, más filosófica se torna ella misma*. Si tuviera que expresarlo de otra manera, señalaría que el tema principal de la obra carpentieriana aparece de suerte que viene a satisfacer una necesidad histórica del arte y la cultura cubanos. Pero, siendo tal cosa, ¿cómo resumirlo? Yo diría que es *el resultado de la valoración, por parte del autor implícito de cada obra carpentieriana, de una actitud social de un sujeto –que, entre otras cosas, puede ser un personaje, el propio lector, etc.– ante el problema del conocimiento como transformación del universo, desde una perspectiva socialmente a favor de mejorar lo que existe, en tanto ambos, sujeto y objeto, sean cubanos, latinoamericanos, del mundo.*

La noción que transmito en el párrafo anterior está presente como una fuerte base que da forma a este *libro de las cuatro visiones*. Se trata de las cuatro partes o secciones en que está dividido el tomo: «Visión de América», «Tierra Firme», «El Caribe» e «Identidad americana».

De esta manera, se presenta una primera sección que agrupa el viaje de Carpentier a una de las regiones más intrincadas de la América: por eso es que la colección de cinco artículos publicados conserva su título original de «Visión de América» y, en esencia, sirve para nominar todo el libro, porque lo que da título a una cosa la ordena y la ejemplifica como elemento más importante del sistema entero; es necesario destacar que durante la investigación, se descubrió un artículo inédito que formaba parte de las visiones destinadas a la prensa y que era el primero de la serie, y que por causa del azar jamás llegó a ningún lector: se trata de «El páramo andino»; este hallazgo hizo posible completar las *visiones soñadas* por Carpentier y remitirnos, una vez más, a una de las tres versiones conocidas de su novela *Los pasos perdidos,* pues se encontró en ese dossier.

Una segunda parte, la llamada «Tierra Firme», intenta descubrirnos lo que de telúrico tiene la cultura y el *ser americano*. Y no casualmente se han escogido a la manera de *flashes* fotográficos algunas de las crónicas de la célebre sección «Letra y Solfa», de *El Nacional*. En una de ellas, por ejemplificar, se toma la noticia de que el análisis radiactivo de una estatua –conclusivo e indubitable– prueba el refinamiento de una civilización como la maya, con una antigüedad de quince siglos antes de nuestra era, y que, por tanto, precedió en mil años al clímax de la griega.

La tercera parte, nombrada «El Caribe», por recuperar la idea de la mediterraneidad de un mar –también *Mare Nostrum*– entornado por las islas y las tierras de América Latina, se convierte en un rico muestrario de cultura continental, por su diversidad y unicidad, por los orígenes, la simultaneidad de tiempos históricos yuxtapuestos, en tal mezcla, que Carpentier regresa para nombrarla, a falta de un futuro no definido todavía, hacia un pasado importante y conocido para el mundo entero.

La última porción escala con el nombre de «Identidad americana» el cuarto peldaño, el *superior*. Éste es un momento en el que la obra carpentieriana elabora una tesis magistral con la que describe la América: «Hombre soy, y sólo me siento hombre cuando mi pálpito, mi pulsión profunda, se sincronizan con el pálpito, la pulsión, de todos los hombres que me rodean.»

Estas palabras revelan su faceta de investigador de la etnocultura, de la sociedad y del individuo que vive un tiempo y un espacio que lo determina como *americano*. Es obvio que no hay contradicciones con el resto de sus ideas, sino una complementación.

Carpentier vuelve al conocimiento anterior, como todo hombre sabio. Hay en ello, igualmente, una mirada que compara el universo un poco a la manera de los pueblos antiguos... Esta visión analoga el Continente con un cuerpo humano y lo conforma región a región, lo cual se revela en su intención al llamar la doble cuenca Amazonia-Orinoco «el riñón de América». El lugar se convierte, pues, en uno de los centros más importantes del Nuevo Mundo que simboliza el ciclo eterno de las relaciones entre la Tierra, el Fuego, el Agua y el Aire.

Esa antropomorfización determinó que el compilador, creyendo adivinar la voluntad carpentieriana, abra las puertas de este libro al lector y le haga entrar por el territorio amazónico (es decir, el agua en las tierras), y procure su salida, por el Caribe (es decir, la tierra en las aguas). Esta relación heráclita de unir en símbolos físicos (φυσιζ, *physis* como *naturaleza* en griego clásico) *continente e islas* con *hombre y mundo*, responde igualmente al máximo anhelo de Carpentier como utopista.

Ahora bien, las creaciones narrativas de Alejo Carpentier, indudablemente, contienen matices inapreciables que permiten esclarecer muchas de las relaciones entre su propia obra general –en la que incluimos, por supuesto, el ensayo– y la de algunos escritores contemporáneos como Rómulo Gallegos, Jorge Luis Borges, Miguel Ángel Asturias, Octavio Paz, Carlos Fuentes y Gabriel García Márquez, por citar algunos latinoamericanos, a los cuales le es afín el tema americano. Empeñado en lograr una imagen del Hombre en función de su época, preocupa al teórico de lo real maravilloso y de lo barroco americano los problemas de la creación literaria en un contexto cultural que es el del llamado Nuevo Mundo. Dos temas de sus reflexiones sobre este asunto lo constituyen, con preferencia, los sistemas del narrador y del tiempo: el primero, porque ha sido considerado, no sin alguna razón, como un vehículo de expresión casi directa del autor volcado como entidad dentro de la obra narrativa; el segundo, porque ofrece una traducción artístico-literaria sobre los hechos y las leyes, de la filosofía y de la historia humana. De todo esto, extraemos una enseñanza: cuando transitemos por la visión americana que ofrece este libro, jamás deberíamos olvidar que quien nos habla es el creador en posición de filósofo, el artista que se sitúa con ojos de pensador. Por eso es que debemos leer las visiones, con el ánimo de comparar estas ideas con aquellas que tanto utiliza en sus creaciones y, las más de las veces, como elemento de composición.

Un secreto va corriendo su velo en estas páginas: los americanos somos el resultado de una confrontación de lo que se dio en llamar Descubrimiento y Conquista de las Indias Occidentales, proceso que aún no ha terminado no sólo en planos económicos, políticos, sociales, individuales, sino en el de las ideas que es el de la *visión*.

Esta palabra es más profunda, evidentemente, por su significado que la de *mirada*.

Sin embargo, todo vaticinio será más completo –mediando el oráculo de Delfos– si quien lo entrega es capaz de tener la *doble visión*. Es decir, bienaventurado quien, mirando por sobre el panorama de un hombre y su historia, puede totalizar su Idea reflexionando sobre lo que acaba de pensar. Y Alejo Carpentier convence al Tiempo de tener en su bolsillo esta promesa porque sabe que explicar un mundo es remontarse hacia sus orígenes; viajar de lo diferenciado a la unidad, es decir, *contemplarse a sí mismo... mirándolo*.

Alejandro CÁNOVAS PÉREZ

A la memoria de Alfred Clerec Carpentier,
el primer americano de mi familia,
Gobernador de la Guayana Francesa en 1842,
año en que sir Richard Schomburgk
alcanzó la cima del Roraima Tepuy.

I

VISIÓN DE AMÉRICA

LA GRAN SABANA: MUNDO DEL GÉNESIS

Para Raúl Nass

Los españoles han tenido una confusa idea de este país que han llamado El Dorado.

VOLTAIRE

Súbitamente, con la brusquedad que nos arranca un grito de asombro, el suelo ha saltado a cuatro mil pies de altitud. Nada ha variado en la naturaleza, aparentemente, ya que la selva virgen está ahí, tan apretada, tan amenazadora como siempre. Pero un colosal peldaño de roca, desnudo y liso, ha levantado la selva entera, la ha aupado, de una sola vez, para acercarla a las nubes. Estamos volando sobre el filo de la increíble muralla que ha cerrado el paso a tantos y tantos aventureros, arrancándoles lágrimas de despecho que refrescaron y acrecieron el eterno espejismo del oro. Aquí tuvo que detenerse cien veces el signo de la cruz; aquí perecieron mercaderes oscuros, de huesos confundidos con los huesos de sus recuas. Sobre este paredón se asienta la inmensa terraza que sirve de base y tierra al alucinante mundo geológico de la Gran Sabana, virgen de las rocas, hasta hace poco mundo perdido, secular asidero de mitos, cuyo ámbito misterioso, inescalable, sin caminos conocidos ni accesos aparentes, se confundió durante siglos con El Dorado de la leyenda –ese fabuloso reino de Manoa, de imprecisa ubicación, que los hombres buscaron incansablemente, casi hasta los días de la Revolución Francesa, sin renunciar por fracasos al ansia de ver aparecer, «sobre árboles que se perdían en las nubes» al decir de Raleigh, el emporio de riqueza y de abundancia al que el mismo Voltaire habría de llevar, un día, los héroes de su más famosa novela filosófica. (Es interesante observar, de paso, que el hombre de Europa esperó siempre encontrar en América la materialización de viejos sueños malogrados en su mundo: el oro sin sudores ni dolores de la Transmutación, el fáustico anhelo de la eterna juventud.)

Estamos entrando en el dominio de los Grandes Monumentos. A la izquierda, sobre el mar de árboles, se alzan dos gigantescos mausoleos, de una arquitectura bárbara, que recuerda la de ciertas pirámides de ángulos roídos por la obra de los siglos –tal la pirámide de la Luna, en Teotihuacán. Esas dos moles, situadas con paralela orientación, a gran distancia una de otra, tienen un aspecto grandiosamente fúnebre: tal parece que bajo sudarios de piedra, esculpidos y patinados por milenios de tempestades y de lluvias, yacieran los cadáveres de dos titanes, con los perfiles vueltos hacia donde nace el sol. Pronto sabré que esta impresión mía de hallarme ante enormes cenotafios surgidos de la selva, coincide con la de hombres que, algún día, al acercarse a esos túmulos solitarios, los llamaron: «Los sepulcros de los semidioses.» Pero nuestro asombro está lejos de aquietarnos el pulso. Nuevos ante un paisaje tan nuevo, tan poco gastado, como pudo serlo para el primer hombre el paisaje del Génesis, prosigue para nosotros la *Revelación de las Formas*. Esto, que se ha alzado a nuestra derecha, no tiene ya nada que ver con los mausoleos. Imaginad un haz de tubos de órgano, de unos cuatrocientos metros de alto que hubieran sido atados, soldados y plantados verticalmente en un basamento de guijarros, como un monumento aislado, una fortaleza lunar, en el centro de la primera planicie que aparece al cabo de tanta selva. Las rutinas imaginativas de mi cultura occidental me hacen evocar, en el acto, el castillo de Macbeth o el castillo de Klingsor. Pero, no. Tales imágenes son inadmisibles, por lo limitadas, en este riñón de la América virgen. Estas torres de roca acerada, muy ligeramente reluciente, son demasiado altas para componer un decorado; son demasiado inaccesibles, demasiado hoscas, bajo este cielo dramáticamente agitado, que se desnuda sobre el valle de Karamata porque el rayo está cayendo, muy lejos, sobre sierras del Brasil. Es falso decir que hay paisajes a medida del hombre y otros que no lo son. Todo paisaje de la tierra está hecho a medida del hombre, puesto que el hombre habrá de servir siempre de módulo en todo lo que concierne a la Tierra. Lo que debe saberse es para qué hombres está hecho el paisaje –para qué ojos, para qué sueños, para qué empeños. «La medida del hombre es también la del ángel», dice San Juan en el Apocalipsis. A Colón quedó estrecho el Mar Océano, como corto a Cortés el camino de Tenochtitlán. Es probable que Pizarro el castellano hubiera proseguido el camino que abandonara el inglés Raleigh. Para los indios que viven en la Gran Sabana y han guardado la fe primera, esas montañas salidas de manos del Creador el día de la Creación conservan, por la limpieza de sus cimas nunca holladas, por su majestad de Grandes Monumentos Sagrados, toda su índole mítica.

Jamás cometerían el pecado, por haber heredado la primigenia medida del ángel, de reducir su visión, por encadenamiento de ideas –como estuve a punto de hacerlo yo, hombre encadenado a la letra impresa–, a las proporciones de un escenario de teatro. Para ellos, estos Tepuy o cerros siguen siendo la morada de las Fuerzas Primeras, como lo era el Olimpo para los griegos. Son las Formas Egregias, las Grandes Formas, hermosas y dramáticas, puras y hurañas, perfecta representación de la divinidad en sus moradas. Aquí el hombre del sexto día de la Creación contempla el paisaje que le es dado por solar. Nada de evocación literaria. Nada de mitos encuadrados por el alejandrino o domados por la batuta. Es el mundo del Génesis. Pero de un Génesis que halla mejor su expresión en el lenguaje americano del *Popol-Vuh,* que en los versículos hebraicos de la Biblia: en un principio –¡qué admirable precisión poética!– «no había nada que formase cuerpo, nada que asiere a otra cosa, nada que se meciese, que hiciese el más leve roce, que hiciese el menor ruido en el cielo». Entonces, como neblina o como nube fue la formación de la tierra en su estado material, «cuando, semejantes a cangrejos, aparecieron sobre las aguas las montañas, y en un instante fueron las grandes montañas». Luego, «se dividieron los caminos de agua, y anduvieron muchos arroyos entre los cerros, y en señaladas partes se paró y detuvo el agua». No podría imaginarse ninguna descripción más ajustada, por misteriosas asociaciones de palabras, a lo que es la Gran Sabana, que ese cuadro quitché de la Creación. Algo de cangrejo tienen, en efecto, algunas mesetas menores, de lomo redondeado y tenazas abiertas sobre la tierra; algo de cangrejos aparecidos sobre las aguas primeras, sobre «los caminos de agua» que son los doscientos ochenta ríos de ese mundo perdido, sobre «el agua parada» de las cascadas incontables que brotan de los genésicos manantiales de las Montañas Madres.

Y prosigue la *Revelación de las Formas.* Una segunda torre, más alta y maciza, acaba de aparecer detrás de la anterior. Ésta se muestra rematada por una terraza absolutamente horizontal, sin accidentes ni declives, cubierta por un tapiz de tierna grama. Sobre aquella otra, más ancha aún, se estaciona una nube inmóvil, alargada y copuda –cirro anclado como nave a un peñón. Otra meseta, más abierta en la cima que en la base, se yergue más allá, agrietada, salpicada de alveolos, como una gigantesca madrépora. A medida que nos vamos adentrando en la Gran Sabana, las mesetas se muestran más imponentes en sus proporciones, asemejándose, a veces, a inmensos cilindros de bronce. Pero también se diversifican las Formas. Cada Tepuy se nos presenta con una personalidad inconfundible, hecha de aristas, de cortes bruscos, de perfiles rectos o quebrados. Kusari-Tepuy, Topochi-Tepuy, Ororoima-Tepuy, Ptari-Tepuy, Akopán-Tepuy, Cerro del Venado, Cerro del Trueno. Cerros con nombres de animales, y cerros con nombres de fuerzas. El que no tiene una gran torre flanqueante es rematado por un espolón –como el Iru-Tepuy–, se rompe en biseles, o dibuja, en el horizonte de la sierra de Paracaima, picos que tienen formas de dedos pulgares, de cartabones, de molduras seccionadas. Los hay que parecen naves negras, sin mástiles ni cordajes, y los hay cubiertos de yedras salvajes, como un paredón en ruinas. Pero ahora, hacia el Brasil, aparece el formidable Roraima-Tepuy, el modelo, el patrón roca de la Gran Sabana, al que los indios arekunas invocan con himnos fervorosos.

Cuando sir Richard Schomburgk, el gran explorador alemán, alcanzó la base del Roraima, en 1842, se declaró abrumado por su insignificancia ante «lo sublime, lo trascendente, implícito en esa maravilla de la naturaleza». Con retórica de hombre que llamara Hamlet a su sirviente negro, y que ante los arekunas coronado de hojas pensara en la selva de Birnam marchando sobre Dunsinane, el romántico descubridor afirma que «no hay palabras para pintar la grandeza de este cerro, con sus ruidosas y espumantes cascadas de prodigiosa altura». Aunque la expresión es harto manida, debe reconocerse, en verdad, que no puede imaginarse fondo de paisaje más impresionante que el de ese rectángulo oscuro, con paredes tan perpendiculares que podrían creerse levantadas a plomada, que alza a dos mil ochocientos metros de altitud su terraza de seis kilómetros de anchura, tan a menudo estremecida por el trueno. Debe pensarse en la emoción sentida por el hombre que se encuentre sobre esa terraza volante, sobre esa planicie limitada por abismos, pedestal de brumas, puente de nube a nube. El Roraima, cierre de la Gran Sabana, no enlaza con nada. Es la atalaya, de vientos pegados a los flancos, erguida en el extremo límite de las tierras de Venezuela, del Brasil y de la Guayana Inglesa. Pero es, sobre todo, la Máxima Soledad –la Perfecta Mesa de los dibujos taurepanes–, reverenciada por los arekunas en su doble esencia, masculina y femenina, como «el envuelto en las nubes, madre eterna de las aguas».

La Gran Sabana es el mundo primero del *Popol-Vuh* en que la piedra hablaba «y reconvenía al hombre en su propia cara». Mundo de «piedras arregladas», en que el mismo metate conocía el lenguaje del hombre porque el metate se había curvado bajo las manos del hombre, al haberle sido dado en presente por la montaña.

EL SALTO DEL ÁNGEL EN EL REINO DE LAS AGUAS

¡Oh, temeraria codicia
que hallaste en las aguas senda,
mesones en las espumas
y techos en las estrellas!

LOPE DE VEGA

Luego de cerrar un anchísimo viraje en espiral que casi nos ha conducido a las fronteras del Brasil, el avión vuela, ahora, al nivel de las mesetas. Las nubes pesadas que demoraban en la cumbre del Auyán-Tepuy comienzan a levantarse. El sol desciende al fondo de quebradas y desfiladeros. Y, de pronto, los flancos de los cerros se empavesan de cascadas –largos estandartes refulgentes, con flecos de neblina colgados de la cima. Mundo de las rocas, la Gran Sabana es también el reino de las aguas vivas; de aguas nacidas a increíbles altitudes, como las del Kukenán, paridas por el Roraima, o las del Surukún, de arduas riberas. A los prestigios de la piedra, de lo inamovible y bien encajado en el planeta; a la dureza de los cuarzos, de las rocas ígneas, de los pórfidos, sucede ahora la magia de lo fluyente, de lo inestable, de lo nunca quieto, en saltos, juegos y retozos de ríos arrojados a los cuatro vientos de América por las

Mesetas Madres, y que, en su mayoría, van a engrosar luego de muchos vagabundeos y desapariciones –recogiéndose de paso el oro y algún diamante– el fragoroso y salvaje Caroní. Comprendemos ahora cómo, caído de tan alto, rico de tantas aventuras, el Caroní se rehúsa a toda disciplina, rompiendo los cepos con que quiso apretarle la dura y sofocante naturaleza de abajo.

Lo hemos remontado hace menos de dos horas, ese Caroní de aguas oscuras, casi negras en ciertos remansos, plomizas a veces, ocres en un pailón, pero nunca amables; río que conserva desde los días del Descubrimiento, descubrimiento que apenas le rozó la boca, una rabiosa independencia –más que independencia, virginidad feroz de amazona indomeñable, vencedora de los conquistadores ingleses, devoradora de los trescientos compañeros del portugués Álvaro Jorge, responsable de cien muertes sin historia. Todavía hoy, hay quienes dicen haber encontrado viejas armas españolas –picas y mandobles– escamadas de herrumbre, en las riberas del río tumultuoso. Y es que el Caroní no conoce ley ni cauce. Hijo de cien cascadas, adquirió en días de diluvio, en era de mares vaciados, cuando tal vez huyeran las aguas de la mítica Laguna de Parima, el hábito de los caminos arbitrarios. Siempre habrá de comportarse del modo más inesperado, olvidado mil veces del ya torcido camino. De pronto, se abre en lagunatos inquietos, para angostarse de nuevo, acelerar el curso, dividirse en el filo de una peña negra, romperse en raudales, quebrarse en brazos, volver sobre sí mismo, en un eterno retorcerse, hervir, barrer, perder la línea, para tenerla más tremebunda. De repente, en un codo, le salen montañas negras, negras de obsidiana, en el mero centro, poniendo blancos de espuma sobre la transparente negrura de un agua que corre, ahora, sobre algún fondo de pizarra. Por escaleras de un amarillo de barro le llegan las furias brincadoras del Carrao. Por despeñaderos sin cuento, los torrentes de la Gran Sabana. Alimentados por los ríos más desconocidos del continente, el Caroní es un crisol de tumultos. En él caen los Grandes Juegos de Agua de América, llevados a la escala de América, con bocas de cavernas que vomitan cascadas enormes, en vez de la endeble espiga líquida silbada por tritoncillos con las tripas de plomo. No puede concebirse nada más impresionante que el salto de Tobarima, dado por el Caroní en medio de la selva más cerrada y feroz, para meterse en gargantas donde apenas puede creerse que quepan tantas y tantas aguas. Y es que el Caroní es río estruendoso, río que brama en sus cañones, que retumba en trueno al pie de sus raudales, a punto de que Walter Raleigh, al conocer ese trueno de agua, lo calificara de «horrísono cataclismo líquido». Bien pintó el fino humanista, amigo de Shakespeare –hecho en Trinidad barbado aventurero de agriados sudores–, aquellas cataratas de Uracapay que «caían con tal furia que el rebotar de las aguas producía un aguacero descomunal sobre la región. Y a veces causaba la impresión de una inmensa humareda que se desprendiera de una enorme ciudad».

Pero he aquí, luego de volar nuevamente sobre los verdes valles de Karamata, estamos rozando los flancos del más misterioso y legendario de los Cerros de la Gran Sabana: el Auyán-Tepuy, recién descubierto, apenas explorado, a cuyo aislamiento de siglos se añade el prestigio otorgado por consejas y supersticiones locales. Para los indios del lugar, nada raro tiene el hecho de que el único avión llevado a su cima nublada por un aviador temerario quedara clavado, allá arriba, de ruedas en un pantano, como libélula de entomólogo. Aún hoy, los karamakotos que viven al pie del cerro auguran grandes desgracias a los que intentan la ascensión. Cuando truena muy fuertemente, nadie mira hacia el Auyán-Tepuy, para no acrecer la ira de Aquel que causa todos los males, da mala sombra a la choza, mete animales malvados en las vísceras, castiga al que se va con el misionero, asusta, depaupera y lastima. Se comprende, además, que entre todas las mesetas de la Gran

Sabana el demonio de la selva haya elegido ésta por morada, ya que, a la cónica geometría del Ptari-Tepuy, a la cilíndrica formación del Angasimá-Tepuy, el Auyán-Tepuy opone una dramática visión de gran monumento en ruinas. Rozando sus terrazas pedregosas y hostiles, todas escalonadas, las vemos cortadas por hondas grietas y resquebrajaduras. La niebla se estaciona en el fondo de gargantas que alcanzan hasta cuatrocientos metros de profundidad.* Cuando llueve, se llenan en su cima centenares de estanques que revientan en cascadas por todos los bordes. Pero las nubes grávidas, pesadas, perennemente hinchadas por la humedad de una tierra siempre vestida de humo, ignorante de la tala, palpitante de manantiales, cuidan muy particularmente del «Salto del Ángel», aquel que justifica doblemente el nombre con su virginidad, su ausencia de los mapas, y el llevar la cabeza más alto que todos los saltos del mundo. Además, este suntuoso ángel de agua no pone los pies en la tierra, deshaciéndose en humo de espuma, espeso rocío, sobre los árboles de un verde profundo, que lo reciben en las ramas. El día que supimos de su maravilla, descendía del parador de nimbos en dos brazos que se unían en el vacío. Pero en otras épocas del año se arroja desde su vertiginoso almenaje, por cinco, seis, siete bocas paralelas. Al juntarse, las aguas se entrechocan y giran y brincan en el aire, con todas las luces del arco iris, promoviendo una inacabable explosión de espejos.

Pero ya hemos dejado Auyán-Tepuy a nuestra derecha, metiéndose en gargantas y pasos que alimentan otros juegos de agua. A la vuelta de cada cerro, de cada espolón, aparecen nuevos saltos. Los hay espigados y estremecidos, surgidos de una elevada cornisa; los hay que ruedan, espumantes de rabia, por escalinatas de roca parda; los hay, furiosos, que se rompen cuatro

* Debo la cifra al notable explorador Félix Cardona, el primer hombre que ascendió a la cima del Auyán-Tepuy.

veces, antes de hallar el cauce; los hay tranquilos y pesados que dan una rara impresión de inmovilidad, como el Kamá; los hay caudalosos, anchos, de aguas esculpidas por enormes lajas, como el suntuoso salto Morok, en el río Kukenán. Pero ahora, hay que añadir un nuevo elemento de prodigio a ese mundo que se ha puesto en movimiento, agitando velos y estandartes. Ese elemento que habrá de agotar nuestras reservas de asombro es el color. En la Gran Sabana el agua de los ríos, en la proximidad de los saltos, suele hacerse casi negra, de una negrura rojiza, de azúcar quemado, con una rugosa consistencia de asfalto a medio enfriar. Esto se explica por la acumulación en tales lugares de enormes cantidades de hojas muertas, venidas de lo hondo de la selva con su carga de limos. Mas, de pronto, el río se libera de su costra, saltando al vacío.

En ese momento se opera el milagro de la transmutación: el agua se torna de oro. De un oro amarillo y ligero, cuya coloración se matiza hasta el infinito, entre el amarillo de azufre y el color de herrumbre. Ese oro que cae, canta, rebota y bulle, ardido por los esmaltes del espectro, es el que pudo soñar Milton para las cascadas de su Paraíso Perdido, ya que sólo las desmedidas imágenes del ciego visionario, con sus gigantes coronados de nubes, cabrían en estas «Tierras aún sin saquear, cuya gran ciudad los hijos de Gerión llamaron El Dorado».*

«En aquel tiempo había gigantes sobre la tierra», dice el Génesis. Pero gigantes que, más que hijos del Gerión helénico, fueron hermanos de los primeros héroes citados en el «Libro de los Linajes» de *Chilam Balam*. («No eran dioses: eran gigantes.») Héroes justos, medidores de la tierra, inventores de la agricultura, Jefes de Rumbos. Es interesante observar, además, cómo esta noción de gigantes industriosos, dotados de Plenos Poderes, es

* Este verso de Milton aparece citado en el breve pero admirable ensayo de Enrique Bernardo Núñez: «Orinoco.»

una constante de las mitologías americanas. Porque nada recuerda mejor los trabajos realizados por los primeros gigantes del «Libro de los Linajes» que aquellos otros, debidos al genio del demiurgo Amalivaca –«quien dio forma al mundo con ayuda de su hermano Uochi»–, y cuya vasta sombra se proyecta sobre toda la cuenca del Orinoco, en un área de difusión de su mito cuya extensión asombraba al barón de Humboldt. Todavía se muestran, en cercanías de la dramática Sierra de la Encaramada, Monte Ararat de los indios tamanacos, dibujos trazados a considerable altura por una misteriosa mano. Son ésas –según el mito– los «tepuremenes» o «piedras pintadas» por Amalivaca en los días del Diluvio Universal, «cuando las aguas del mar remontaron el Orinoco». Pero esas piedras pintadas plantean el mismo problema de ejecución –señalado por Humboldt– que ofrecen los petroglifos vistos por Jacques Soustelle en un lago del estado de Chiapas, en México. No se explica con qué andamiajes pudieron ser trazados. Una vez más, América reclama su lugar dentro de la universal unidad de los mitos, demasiado analizados en función exclusiva de sus raíces semíticas o mediterráneas. Aquí sigue tan vigente el mito de Amalivaca –mito que es también el de Shamash, el de Noé, el de Quetzalcoatl– que en días de la *Enciclopedia* y de los *Diálogos* de Diderot, el padre Filippo Salvatore Gilli se oyó preguntar por un indio si Amalivaca, modelador del planeta, andaba arreglando algo en Europa: es decir, en la otra orilla del Océano. En aquellos mismos días había vuelto a encenderse, en Santo Tomás de Nueva Guayana, el espejismo de la laguna de Parima, nacido probablemente del diluvio que «hiciera romperse las olas del mar sobre las rocas de la Encaramada». ¡Diluvios, gigantes, amazonas, monstruos con la cara en el pecho, signos misteriosos, ríos que acarrean diamantes, cuerdos españoles –contemporáneos del burgués Moratín– que pierden la cabeza porque un indio del Alto Caroní les muestra reflejos blancos en una nube!...

No hay que buscar explicaciones complicadas a todo esto. Hay en América una presencia y vigencia de mitos que se enterraron, en Europa, hace mucho tiempo, en las gavetas polvorientas de la retórica o de la erudición. En 1780, seguían creyendo los españoles en el paraíso de Manoa, a punto de exponerse a perder la vida por alcanzar el mundo perdido, reino del último inca, visitado antaño, según fantasiosas versiones, por Juan Martínez, mal guardador de pólvoras de Diego de Ordaz, pero mejor encendedor de fuegos artificiales. En 1794, año en que París elevaba cantatas, con música de Gossec, a la Razón y al Ser Supremo, el compostelano Francisco Menéndez andaba por tierras de Patagonia, buscando la Ciudad Encantada de los Césares.

Y es que América alimenta y conserva los mitos con los prestigios de su virginidad, con las proporciones de su paisaje, con su perenne «revelación de formas» –revelación que dejó atónita, no hay que olvidarlo, a la España de la Conquista, a punto de que Pedro Mártir de Anglería, decepcionado por un viajero que se había jactado de hallar robledares, encinares y olivares en su expedición, exclamara: «¿Qué necesidad tenemos nosotros de estas cosas vulgares entre los europeos?» Y es que España, deslumbrada por lo que le llegaba en las arcas de los naucheros, maravillada por los relatos de los aventureros afortunados, acostumbrada ya a pronunciar nuevas palabras y nombres, a saber del Potosí y del Reino de Cuzco, del Inca y del Teocali, se iba habituando a admitir que, en América, lo fantástico se hacía realidad. Realidad de esta Gran Sabana, que es sencillamente lo fantástico hecho piedra, agua, cielo. Todo lo que imaginaron, en fantásticas visiones de italiano o de flamenco, los Jerónimo Bosch, los Arcimboldo, los ilustradores de tentaciones de San Antonio, los dibujantes de mandrágoras y de selvas de Brocelianda, se encuentra aquí, en cualquier rincón de cerro. Pero –¡eso sí!– como simple detalle de un gran conjunto imposible de encerrar en un marco de madera; como meros accesorios de una creación grandiosa que apenas si ha conocido, hasta ahora, el leve hormigueo del hombre. De ahí que la Gran Sabana –confundida con El Dorado– fuese siempre un excitante para el don adivinatorio de los poetas, una fascinante luminaria para esos otros poetas que fueron los aventureros capaces de jugarse la vida sobre la fe de una leyenda.

Y no se me diga que hablar de la virginidad de América es lugar común de una nueva retórica americanista. Ahora me encuentro ante un género de paisaje que «veo por vez primera», que nunca me fue anunciado por paisajes de Alpes o de Pirineos; un género de paisaje que sólo había intuido en sueños, y del que no existe todavía una descripción verdadera en libro alguno. Ante la Gran Sabana no hubiera cabido nunca la desconsoladora frase de Paul Valéry, llevado por un amigo, luego de larga excursión, a contemplar un alabado panorama europeo:

–Pero... ¿por qué se empeñan en mostrarme siempre el mismo paisaje en todas partes?

Aquí hubiera enmudecido el autor de *Eupalinos.*

LA BIBLIA Y LA OJIVA
EN EL ÁMBITO DEL RORAIMA

EL DEMONIO: *¡Oh! Tribunal bendito,*
Providencia eternamente.
¿Dónde envías a Colón
para renovar mis daños?
¿No sabes que ha muchos años
que tengo allí posesión?

LOPE DE VEGA

Ya de pies en la tierra, limitada la visión por la meseta de Acurima, por bosques sembrados de altísimos troncos de un blanco de mármol –más obeliscos que árboles– han desaparecido, para nosotros, los prodigios geológicos de Karamata y de la Sierra de Paracaima. En medio del valle más apacible y silencioso que pueda imaginarse –valle que jamás supo de vehículos de motor, de industrias ajenas a las de los cinco dedos del hombre– se desparrama el caserío de Santa Elena de Uairén, con sus viviendas de paredes blancas y cobijas de palma, construidas de acuerdo con el viejo modelo indio que impone su ley, con muy pocas variantes, a toda la América tropical. Es, en suma, el «bohío» que Colón hallara en Cuba en su primer desembarco. Dos tiendas minúsculas ofrecen mercaderías traídas de Manaos –sobre el río Negro– a lomo de mula, tras de un viaje de siete días a través de la selva y de una penosa ascensión por el abra del Kukenán. Hay una espadaña que mece dos medios tubos de oxígeno a falta de campanas. Hay lindos jarrones de alfarería brasileña en los soportales. Y hay, ostentándose en dos fachadas, un letrero para soñar:

Se compran oro y diamantes

Pero he aquí que viene hacia nosotros, a grandes pasos, un monje escapado de un lienzo de Ribera –ágil, delgado, barbudo, armado de un tremendo garrote para matar culebras. Pronto sabremos que, en este mundo que sigue siendo, con novedades sumamente superficiales, el que pudieran haber encontrado los primeros Conquistadores, este monje desprendido de algún óleo embetunado, se adorna de un nombre de añeja sonoridad, digno de haber figurado en el primer asiento de pasajeros a Indias, o de haber convivido con el astrólogo Micer Codro, al amparo del retablo de la Virgen de los Mareantes. Diego de Valdearenas se llama este afable e hirsuto capuchino, padre superior de la misión de Santa Elena de Uairén, cuyas dos grandes casas se alzan, a poca distancia del pueblo, a ambos lados del camino que conduce a la aldea de los indios catequizados. Por una enternecedora preocupación de los frailes, esas casas con techos de hoja de palma están dotadas de ventanas ojivales –de acuerdo con la secular noción que asocia la idea del arco de todo punto al nacimiento de la polifonía y al mayor imperio de la cruz sobre las tierras de Europa. Esas ventanas ojivales me sobrecogen, en esta Gran Sabana remota, al pie del Roraima, por el sentido profundo de su reiteración. Ha bastado el encuentro de dos líneas curvas en una pared de adobe, bajo un alar de fibras, para recordarnos la vieja elocuencia de un signo: signo y símbolo de un tipo de civilización occidental que ha tardado cuatro siglos en llegar aquí, luego del Descubrimiento, teniendo que librar, de primer intento, una pequeña guerra de religión. Porque estas ojivas, de trazado presente en un mundo apenas explorado, son el resultado de una batalla en que, por una vez, la herejía recibió en plena estampa el tintero que Lutero pretendiera arrojar al diablo.

El mito de Manoa, de la «golden city», del pretendido reino inca de Aataliba, motivo de tantas expediciones infructuosas, constituye un volumen de historia ajena a la Gran Sabana, puesto que los Conquistadores fueron siempre derrotados por la naturaleza antes de alcanzar este riñón de América. El Dorado, la utopía imaginada por Voltaire, el emporio vislumbrado por el Padre Gumilla, integran un cuerpo de mitos sumamente complejo, que debe relacionarse con otros mitos situados por los europeos en el Nuevo Mundo, y que responden a muy viejas y ocultas aspiraciones de la cultura occidental. Es posible y hasta probable que algunos buscadores de Manoa, salidos de Santo Tomás de Nueva Guayana, hayan subido realmente a esta prodigiosa meseta. En el siglo XVIII, un tal Antonio Santos, empleado del gobernador Miguel Centurión, parece haber recorrido las tierras desconocidas hacia el año 1780, haciendo girar nuevamente el espejuelo de alondras del Dorado. Pero los primeros contactos se inician de modo real y continuado con los viajes al Roraima de los dos hermanos Schomburgk, extraordinarios personajes hechos de la madera de los grandes alemanes del romanticismo, auténticos discípulos de Humboldt.

Antes de descubrir las ruinas de Troya y de exhumar las joyas de los Atridas, Enrique Schliemann se interesó por los ferrocarriles de Cuba, trabajando muy seriamente en el ramo del riel. Del mismo modo, Robert Hermann Schomburgk llega a los Estados Unidos, en 1829, en calidad de simple comerciante. Pero Humboldt no ha hablado en vano, a los hombres de su tiempo, de una América que añorará hasta los últimos días de su existencia. En 1835, el ex traficante en mercaderías se transforma en explorador, internándose en la Guayana Británica. Poco a poco, en jornadas cada vez más riesgosas, se aproxima a la Gran Sabana por la vertiente brasileña, ascendiendo al «monte de los cristales», camino del Roraima, donde los arekunas cantaban himnos a la «Madre de las Aguas». Maravillado por su descubrimiento, Robert Hermann regresa a Alemania, revelando a su hermano Richard todo un mundo de plantas nuevas, de hongos, de estambres atigrados, de pistilos increíbles. Richard Schomburgk –como Chamisso– es un naturalista con imaginación de poeta. Como Goethe, sabe llevar muy lejos la contemplación de una flor. Llamado por las orquídeas de la selva virgen, rompe con lo cotidiano, yendo hacia una liberación de toda traba que hará de él un auténtico ciudadano del mundo, a la manera de Schliemann. Y comienza, en 1842, la estupenda aventura. Richard y Robert Schomburgk serán los grandes viajeros románticos de la Guayana. Románticos, al modo de Chateaubriand –nunca despechugado ante el paisaje, contemplándolo todo de medio perfil, la mano bien apostada en el chaleco, como si un lápiz diligente hubiera de fijar para la posteridad la nobleza de una actitud.

Con todo esto, los hermanos Schomburgk se divierten en su viaje como si vivieran un relato de Jean Paul. En Georgetown se aseguran los servicios de un negro llamado Hamlet –lo cual halaga sobre manera a Richard, hombre de grandes devociones shakespearianas. Y se inicia la subida hacia la base del Roraima, con increíbles preocupaciones de urbanidad y observancia de buenas maneras. El natalicio de la reina Victoria se saluda, en medio de la selva, «con veintiún disparos y tres hurras». En la impedimenta se conservan dos botellas de vino del Rin, para celebrar el cumpleaños del Rey de Prusia. Pensando en los versos que suelen decirse cuando se graban iniciales entrelazadas en el tronco de un fresno, Richard señala, con sentimiento, que por no haber conocido las delicadezas amorosas de una pareja de *Psittacus passerinus,* «los poetas alemanes eligieron erróneamente los arrullos de dos palomas como símbolo de idilio». Las plantas americanas le parecen sumamente refinadas en sus efusiones primaverales –de una delicadeza superior a la de toda planta europea. De paso, una flor que habrá de figurar, de ahora en adelante, en todas las enciclopedias del mundo, es nombrada «Victoria Regia». Otras flores son bautizadas a la advocación de princesas alemanas. Estos dos hombres perfectamente educados prosiguen su marcha hacia el flanco sur de la Gran Sabana, asombrándose de hallar cataratas, como la de Kamaiba, mucho más altas que la de Gavarnie, en Suiza. El diario del viaje se llena de notas que saben ser corteses hasta con el trigonocéfalo atroz. Ni Robert ni Richard pierden la línea ante aquella boa «que estaba empeñada en visitarlos», ni en su primer encuentro «con una hembra tapir de inhabitual tamaño». Cierto día, un viento huracanado, descendido de la Sierra de Paracaima, se lleva varios números del *London Times* traídos por los exploradores. Richard señala que este percance debe verse como «un aumento de circulación del periódico». Por fin, ascendiendo hacia lo que llaman «el paraíso de las plantas», los hermanos reciben el homenaje de indios arekunas, adornados con hojas. Recordando a los guerreros disfrazados de árboles, anunciados en la profecía hecha a Macbeth, Richard se las arregla para colocar oportunamente una fina cita shakespeariana:

If this which he avouches doth appear
There is no flying hence, nor tarrying here.

Después de haber sido los primeros en describir el Roraima-Tepuy, en arañar un flanco de la Gran Sabana, los hermanos Schomburgk, favorecidos por la corona británica (en mucho a causa de la famosa «línea» trazada en detrimento de Venezuela), proseguirían sus singulares destinos. Robert fue cónsul de Inglaterra en Haití, antes de trasladarse a Bangkok. En cuanto a Richard, terminó sus días en Australia, en calidad de director del Jardín Botánico de Adelaida, en el que pudo cultivar los más hermosos ejemplares de *Victoria Regia* que se hubieran visto nunca, contribuyendo, con sus memorias y comunicaciones, a enriquecer la fastuosa descripción del invernadero de *La ralea*, donde Zola situó los amores incestuosos de madame Saccard. Pero algo no debe olvidarse, en lo que nos respecta. Y es que uno de los hermanos, en sus andanzas por el Roraima, se creyó obligado –como cuadra a gente educada que ha sido civilmente recibida– a hacer un presente al cacique del pequeño poblado arekuna de Camaiguaguán. Ese presente consistía en una Biblia, sólidamente empastada. Además, en un bautismo informal pero correcto, se dio al jefe el nombre de Jeremías.

Cuando el visitante hubo partido, Jeremías reunió a sus arekunas y, con el libro bien abierto delante de los ojos, comenzó a explicarles el texto sagrado. «Al principio fue el Verbo.» Pero, no, Jeremías no sabía leer. Al principio no fue el Verbo. Fue el Hacha. El hacha de Macunaima, cuyo filo sílex –golpea que te golpea, taja que te taja– iba desprendiendo trozos de la corteza del Gran Árbol. A medida que caían al río, esos trozos de corteza se transformaban en animales. Pero Macunaima no los miraba. Seguía trabajando, allá arriba, en la ramazón, golpea que te golpea, taja que te taja. Y el venado eligió por vivienda las barrancas húmedas; y los pájaros, previsores del nido, anduvieron por entre los bejucos. Y cada uno hizo escuchar su lenguaje, según su clan y según su manera. Entonces Macunaima, el más alto ser, dejó descansar el hacha y creó al hombre. El hombre empezó por dormirse profundamente. Cuando despertó, vio que la mujer yacía a su lado, y fue ley, desde entonces, que la mujer yazga al lado del hombre. Pero hete ahí que el Espíritu Malo, el opuesto al Espíritu Bueno, obtuvo grande ascendiente entre los hombres. Los hombres, desagradecidos, habían olvidado a Macunaima y no lo invocaban ya con las alabanzas adecuadas. Por eso, Macunaima envió las grandes aguas, y la tierra toda fue cubierta por las grandes aguas, de las que sólo un hombre pudo escapar en una curiara. Al cabo de mucho tiempo, opinando que Macunaima estuviera cansado ya de tanto diluvio, el hombre de la curiara despachó una rata, para ver si las aguas habían bajado. La rata volvió con una mazorca de maíz entre las patas. Entonces el hombre de la curiara arrojó piedras detrás de sí, y nacieron los arekunas que, como es sabido, son los hombres preferidos por el Creador. Todo el mundo sabe, además, que la Gran Sabana es donde tuvo lugar la creación. Los hombres que en ella viven son los depositarios de las Grandes Verdades. Y, cada vez que un bólido incandescente surca el cielo –pues se vieron algunos bólidos en un tiempo que transcurría muy lentamente–, todos saben que la gran guacamaya Uatoima vuela a la morada del hombre que repobló el mundo, luego del diluvio.

Proseguía la enseñanza del cacique Jeremías cuando, en 1903, lo encontró el doctor Elías Toro cantando en arekuna, sobre su vieja Biblia inglesa. Más de sesenta años habían pasado, sin aportar grandes calamidades ni hechos muy memorables, salvo uno que otro vuelo de la Gran Guacamaya en el cielo. Entretanto, allá por el año 1884, Everard Im Thurm había ascendido por vez primera a la cima del Roraima. Pero Jeremías conservaba un imborrable recuerdo del señor Schomburgk, que fuera su huésped –tan correcto, tan discreto– en el «decíamos ayer» de más de medio siglo. Entre sus manos, la Biblia había cobrado categoría de talismán, de objeto mágico. El diablo se mofaba de la Reforma y todavía se estaba en los días románticos de bautismos de flores con nombres de princesas alemanas. El tiempo estaba detenido ahí, al pie de las rocas inmutables, desposeído de todo sentido ontológico para el frenético hombre de Occidente, hacedor de generaciones cada vez más cortas y endebles. No era el tiempo que miden nuestros relojes, ni nuestros calendarios. Era el tiempo de la Gran Sabana. El tiempo de la tierra en los días del Génesis.

Transcurrieron muchos años más: el cuerpo de Jeremías se cubrió de escamas, las mujeres de Camaiguaguán dijeron que las de una tribu vecina parían menos y no sabían espulgar a sus maridos, y por eso hubo una guerra que terminó con un baile de reconciliación. Pero entonces aparecieron nuevas caras blancas en la ruta del Roraima. Eran los hombres que traían consigo la vieja herejía de los milenarios. Enseñaban que advendría un reinado de Jesús, en forma visible sobre la tierra; que resucitarían los muertos, regresarían los santos, y sonarían luego las largas trompetas del Juicio Final. El hallazgo de una Biblia al pie de la Meseta Madre fue considerado, sin duda, como una advertencia divina por los misioneros adventistas, induciéndolos a proseguir el camino. Por ello los portadores de la palabra de Guillermo Miller se adentraron realmente en la Gran Sabana, a punto de que cuando Lucas Fernández Peña, el fundador de ciudades, llegó en 1924 a esta región –luego llamada de Santa Elena de Uairén–, los encontró sólidamente instalados, sin haber pedido autorización a nadie. El recién llegado, venezolano de pura cepa, no se entendía muy bien con los sajones herejes. Por eso favoreció la venida de los capuchinos franciscanos españoles, quienes fundaron la misión que ahora visitamos, en 1931, después de un mirífico viaje a través de la selva. Y así fue como la Biblia de Jeremías fue desplazada por la ventana ojival, y Fray Diego de Valdearenas, que pudo ser capellán de Diego de Ordaz, llegó a esta América con cuatrocientos años de retraso.

En su partida, los adventistas dejaron sin embargo un personaje extraordinario, que vale por todas las mujeres que se fueron a caballo, por todas las ladies Chatterley de Lawrence, la esposa de uno de los misioneros, pálida y rubia inglesa, que, transformada, removida en todas sus nociones por el ámbito telúrico de la Gran Sabana, se ha quedado a vivir, al pie de un cerro distante, ejerciendo la poliandria con el necesario concurso de dos maridos arekunas.

¿Dónde envías a Colón
para renovar mis daños?
¿No sabes que ha muchos años
que tengo allí posesión?

Dice el Diablo a la Providencia en una de las comedias amcricanas de Lope de Vega.

EL ÚLTIMO BUSCADOR DEL DORADO

Este camino es muy ancho,
porque es camino de muchos,
por donde van a buscar
lo que no alcanza a ninguno.

JOSÉ DE VALDIVIESO

No todos los Conquistadores nacieron al pie de un astillero, en sábanas marcadas de astrolabios, ni tuvieron temprana vocación de mareantes o de adelantados. Los hubo que guardaron piaras en los robledares de Cáceres: los hubo contadores y agentes de la banca de los Médicis: los hubo pajes, maestrales, vihuelistas, y hasta finos letrados, como aquel gobernador de Veragua que fuera «grande hombre de componer villancicos para la noche del Señor». Raro fue que un Conquistador tuviese traza de atleta o pudiese alzar el morrión más alto que cualquier atravesado vizcaíno, de los que el envidioso Diego Velázquez despachaba para atajar a un Cortés. (Ojeda y Nicuesa se hacían notar por su pequeña estatura.) Así, los Conquistadores que llegaron a Karamata y a la Gran Sabana, hace poco más de veinte años, con el ánimo de llevar la aventura hasta el extremo límite de sus posibilidades, eran hombres que en todo se situaban dentro de la gran tradición. Reanudábase, luego de una espera de siglos, la historia iniciada al conjuro del grito de Rodrigo de Triana. El mundo de formas singulares acostadas al pie del gran cilindro pardo del Roraima, iba a quedar unido, definitivamente, al resto de América, por voluntad de un pequeño farmacéutico carabobeño, tan menudo de talla como nervioso y duro, y la de un catalán de mirada clara y voluntariosa, que había sido fabricante de artículos de puntos en Barcelona, antes de sentir la misteriosa llamada, que le hizo caer, un buen día, en el tornasol de La Guaira –bien conocido por un hermano de Johannes Brahms– con el destino de emprender, a las cabeceras del Caroní, viajes que sólo pueden compararse con las máximas exploraciones del continente.*

Cuando Lucas Fernández Peña, el valenciano, llegó a orillas del río Uairén –mientras Félix Cardona, acompañado de Juan Mundó, ascendía hacia la base del Auyán-Tepuy–, halló la Gran Sabana compartida entre las principales tribus de los taurepanes y karamakotos, pertenecientes al conglomerado arekuna, de raza caribe. Los primitivos indios sherishanas y wapishanas, descendientes de los guaharibos, habían sido echados hacia abajo, hacia las cabeceras del Cotinga, del Arabopó, del Caura, por una gente más industriosa, siempre necesitada del metate y del sebucán, conocedora de cantos de mero regocijo y holgorio –que no todo lo que

* «En 1927, Félix Cardona y Juan Mundó organizaron una expedición que partió de San Pedro de las Bocas, y remontó el Caroní hasta el río Kukurital, donde estableció un campamento con el propósito de ascender el Auyán-Tepuy por su falda Noroeste. Habiendo fracasado en este intento, Cardona y Mundó llevaron, entonces, uno de los viajes más extraordinarios que se hayan emprendido en la región, en el transcurso del cual navegaron el Caroní hasta el gran salto de Tobarima y, volviendo sobre su ruta, navegaron el Tirika hasta su confluencia con el río Parurén, cubriendo una distancia de más de trescientos kilómetros [...]. Estos exploradores llegaron a la parte suroeste de la Gran Sabana, cerca del poblado indígena de Uón-Ken, donde Mundó permaneció por espacio de un año, mientras Cardona regresaba en solicitud de ayuda para la expedición. A fines de 1928, Cardona volvió en busca de Mundó, encontrándolo, ya de regreso, más arriba de la desembocadura del Carrao en el Caroní. Cardona resolvió seguir su viaje solo, y entró por los ríos Carrao y Akanán, hasta Karamata, haciendo el primer levantamiento de esta región»... «A principios de 1937, Cardona y Henry lograron subir el Auyán-Tepuy», *Revista de Fomento*, n.º 62, marzo de 1946.

se grita ha de ser música medicinal, ni ventriloquias de piache–; una gente capaz de comprender que una figura de rana, sacada en rojo sobre la urdimbre de una cesta, realza la cesta, y que hay un goce raro y difícil de explicar en transformar materias dóciles en figuras de tortugas, de caimanes, de tapir, de oso hormiguero. Por eso es que los taurepanes, desde tiempos muy remotos, modelan el barro, y hasta los hay que, llevados a otro tipo de representación, dibujan figuras de mujeres haciendo el casabe, de hechiceros sangrando a un enfermo, de cazadores disparando flechas con la cerbatana. Otros, los más sabios, saben hacer mapas en que pueden reconocerse los ríos que descienden de las perfectas mesas del Roraima y del Kukenán.*

En un tiempo no muy antiguo los taurepanes y karamakotos sostuvieron sangrientos combates entre sí. Pero hace muchísimos años que reina la paz a la sombra de los cerros. Los hombres comprendieron que ya no se tenían las virtudes combativas de los Grandes Caribes, esos abuelos que, durante más de dos siglos, habían proseguido su misteriosa migración hacia el Norte, matando a todos los varones de otras razas, engrosando a las hembras arawakas –sin dejar por ello de practicar la pederastia ritual–, en una marcha que sólo pudo romper la aparición de los españoles, cuando ya, saltando de isla en isla, empujando delante de sí a los blandos taínos, estaban cerca de alcanzar lo que –según afirman algunos– era el supremo objeto de la lenta y segura invasión: el reino de los mayas, del que se tenían fabulosas noticias en las desembocaduras de los Grandes Ríos. Por donde quiera que marchaban, Lucas Fernández Peña y Félix Cardona, separados sin embargo por centenares de millas de selva virgen, observaban el mismo culto a la memoria de los ancestros caribes. Sus mansos descendientes les atribuían Trabajos sin

* Hay admirables reproducciones de estos dibujos y esculturas en el tercer volumen de la obra monumental de Theodor Koch-Grunberg *Von Roraima Zum Orinoco*, Stuttgart, 1923.

cuento, que habían tenido el poder, incluso, de modificar el modelado del planeta. Se sabía que aquella peña de perfil vagamente humano había sido erigida por los caribes; se sabía que aquel salto de agua se debía a su industria, y también este paso entre dos ríos, y también los dibujos hechos sobre las piedras que hablan. Porque los Grandes Caribes habían sido capaces de abrir túneles en la masa de los cerros, de arreglar los bosques a su antojo, de meter las corrientes en pasos subterráneos. Después de los Demiurgos, eran los entes que mayores poderes habían tenido en el mundo, viajeros aprovechadores de todo lo inventado por los más débiles, invasores que, del siglo XIV al XVI, yendo en busca de un reino, de una tierra de promisión donde asentarse, vivían, en esta América, aún ignorada por Europa, la grande y oscura epopeya migratoria que hallamos en los capítulos iniciales y oscuros de toda historia del hombre.

Habiendo elegido por lugar propio para fundar una ciudad esta ribera del pequeño río Uairén –que acabamos de atravesar sobre un puente de perfecta técnica taurepana idéntico a los dibujados por Theodor Koch-Grunberg–, Lucas Fernández Peña levantó su casa a poca distancia de una ínfima aldea india. Luego, hizo que le trajeran de los altos pastos del Brasil, por el fragoso camino del Kukenán, animales aptos a acoplarse con algún provecho para el hombre. Así como el Adán de William Blake nombró los animales por vez primera, el pequeño farmacéutico valenciano enseñó un día a los taurepanes un animal de buena mirada y ubres por hinchar, y les dijo que se llamaba «Vaca». Y así supo la gente lo que era una vaca. Y así se hizo con la Oveja. Y así se hizo, más tarde, con el Mulo, luego de haberse aclarado el misterio de ciertos cruzamientos. Como siempre, el Caballo seguía siendo notabilísima bestia, asombrosa en su revelación –puesto que todavía no hay camino que permita a cuatro cascos bien herrados el acceso a la Gran Sabana por la vertiente venezolana–; animal de artes, de domas, de ardides de monta, que siempre vino a dar, en América, un ecuestre empaque a la cultura europea. Sin embargo, a pesar de la majestad del Caballo –más visto en la ascendencia de la mula brasileña que de relincho presente–, los indios arekunas seguían asombrándose de que un ser humano pudiera comer huevos de aves y probar la leche; cosas infectas, absolutamente impropias para la alimentación. Pero aprendían la técnica de la castración del Toro, haciendo del buey bestia de carga y tractor de labranza. Entretanto, Lucas Fernández Peña recorría la región. Tomaba conocimiento del mundo que jamás habría de abandonar. Examinaba las piedras, descubriendo inesperados brillos. Y un día, pensó que había llegado el momento de tomar mujer, puesto que quien pretende fundar una ciudad debe empezar por fomentar y gobernar una familia.

Las gentes de la Gran Sabana recuerdan todavía el grande regocijo con que fue celebrada la boda del descubridor con una sólida y hermosa lugareña, hecha para ser buena madre. Pronto, el hogar del pequeño farmacéutico se alborozó con los nacimientos de tres hijas: Elena, Teresa, Isabel. Y como las ovejas triscaban ya al pie de la meseta de Acurima, y se presentía que aquel sendero con una casa en cada orilla estaba destinado a hacerse Calle Mayor de una población, el lugar fue denominado a la advocación de la patrona de la niña Elena, Santa Elena de Uairén. Estaba fundada la primera ciudad de la Gran Sabana. (En 1927 surgía, pues, una ciudad nueva en América, exactamente como pudo nacer –con igual proceso de formación– la de Santiago de Cuba, en 1514.) Luego, se fundaría Santa Teresa de Kavanayén. Luego, la villa de Santa Isabel. Nunca padre alguno hizo tan suntuosos regalos a sus hijas, depositando una ciudad en cada cuna. Pronto se reveló, además, que esas ciudades habrían de confirmar la tradición del Dorado, situado por Raleigh, con oscura intuición, en este mundo del alto Caroní. Un día, el pico del explorador se hundió en la falda del Parai-Tepuy, cerca del río Surukun, descubriendo yacimientos de oro y de diamantes. Los vientos llevaron a todas partes el olor del oro –olor a sollado de galeones, a retablo barroco, a frasco de Agua Regia–, y los aventureros, los buscadores de tesoros, los hombres de manos escarbadoras, comenzaron a rondar las mesetas y a remontar los torrentes. Hubo un período de violencia, de acechos, de engaños, de mineros rastreados desde Boa Vista, en el Brasil, y asesinados fríamente sobre un lodo demasiado rico. Se vivía la mítica y universal tragedia que acompaña todo hallazgo de tesoros, trátese de botijas emparedadas, de arcas de viejos avaros, de cofres escondidos en algún cayo de las Antillas. Y un día, para colmo, apareció a la luz del sol un diamante de cien cárates, para desacompasar el pulso de hombres que jamás habían oído hablar de la Gran Sabana.

Sin embargo, el pequeño farmacéutico valenciano proseguía tesoneramente su gran obra. Fundada la ciudad, había que trazar su Calle Mayor –como hiciera Pizarro en Lima–, señalar el emplazamiento de su Casa de Gobierno y de su Catedral. De la catedral, se encargaron los industriosos y barbudos capuchinos, recién llegados, alzando una cruz de madera en el vértice de un techo de paja, como hubo de hacerlo en Cuba Alonso de Ojeda, al consagrar a la Virgen un primer bohío. De la Casa de Gobierno –en la persona de un jefe civil– se encargó algún ciudadano amante del orden, poseedor de una bestia de monta; en suma, un «caballero», según la aceptación dada al término por las Reales Cédulas de la colonización, en el siglo XVI, dispensadoras de mercedes de caballería y de peonía. En realidad, la Ciudad comenzaba a existir de acuerdo con las grandes tradiciones de la Conquista. Prácticamente, había cabildo, justicia y regidores. Los frailes castellanos, de añejo acento, adoctrinaban a los indios. Se dictaban leyes de interés general, que poco debieron diferenciarse de ciertos acuerdos primeros del Cabildo de Caracas: «Si un minero descubriese beta o yacimiento y fuere oro grueso que tenga metal para moler, el tal minero sea obligado a manifestarlo ante los oficiales o el cabildo desta cibdad.» Se señaló un terreno para camposanto, en cuya huesa sólo han caído, hasta la fecha, cuatro cuerpos derribados por accidentes, ya que el clima maravilloso de la Gran Sabana no es de los que propician enfermedades. Una Comisaría del Roraima puso coto a los desmanes de los mineros brasileños. Se abrió una tienda mixta. Aparecieron algunos libros. Un faquir de Manaos tan inesperado como el bufón negro que llevó la peste a México dio una memorable función de variedades, en la que pudieron aplaudirse tres odaliscas que cantaban en portugués, con la voz algo fatigada por un viaje de nueve días a través de la selva. Un gran retrato de Camilo Flammarión vino a adornar el escritorio-biblioteca-oficina-farmacia de Lucas Fernández Peña. Los niños nacidos en Santa Elena empezaban a cantar el abecedario al compás del palo mataculebras de Fray Diego de Valdearenas. Y, un día, llegaron tres grandes cántaros de alfarería brasileña, traídos a lomo de mula, desde las riberas del río Negro. Tres cántaros de distintos tamaños, marcados con los nombres de Elena, Teresa e Isabel, para aliviar la sed de los caminantes. Porque, quien se detiene en el umbral de la casa del Fundador de Ciudades, recibe agua del cántaro que corresponde a la mano dispensadora del frescor. Elena, Teresa, Isabel. Tres muchachas. Santa Elena, Santa Teresa, Santa Isabel. Tres ciudades. Tres ciudades con nombres de mujeres que ya forman parte de la gran leyenda de América, y que se citarán en libros del futuro, como se mencionan, en el *Popol-Vuh*, los nombres de las esposas del Brujo Nocturno y del Brujo Lunar.

Con todo esto, el Fundador de Ciudades, el descubridor de diamantes, el iluminador de vetas, no se enriquecía. Y no se enriquecía, por haber descubierto algo situado más allá de cualquier vulgar apetencia de oro: la inutilidad del oro para todo individuo que no aspira a regresar hacia una civilización que no sólo inventa la bomba atómica, sino que halla, además, justificaciones metafísicas a su empleo. Así como Paracelso abandonó la búsqueda de la piedra filosofal apenas aparecieron, de regreso de América, los primeros galeones cargados de oro, el pequeño farmacéutico, edificada su casa, creada su familia, trazada la ciudad a su antojo, comprendió cuáles son las verdaderas riquezas del hombre. Ahora, despreciando a los mineros que escarban el limo de los ríos para lograr un tipo de alquimia que no pasa de alimentar las taguaras y botillerías de Ciudad Bolívar, Lucas Fernández Peña se interna en la selva, para ver lo que otros hombres no vieron, para colmar plenamente su profunda vocación de descubridor. Durante largos meses, Elena, Teresa e Isabel sólo saben del padre, acaso, por algún viandante que se ha cruzado con él en un valle perdido, en algún ignorado estribo de la Sierra de Parima. A su regreso, saca unos pocillos de aguada, y dibuja mapas, realzados de colores, que se parecen sorprendentemente a los de los cartógrafos antiguos. En sus representaciones de regiones desconocidas, hay mucho de la técnica de Mercator y de Ortellius, como si la presencia de todo rincón de la tierra hubiese de fijarse en las nociones del hombre, luego de pasar por las mismas etapas figurativas. En esos mapas que contemplo ahora, hay anchas zonas, coloreadas en rojo, vastas como una provincia de España, sobre los que se lee una sola palabra: PELIGRO. Es harto temprano aún para romper el hechizo que se desprende de esas manchas, de esos desiertos acuarelados, de esos vacíos geográficos, semejantes a los que, en los mapas medioevales, señalaban el fondeadero de la viajera isla de San Brandano, las moradas del unicornio y del olifante, y el emplazamiento del Paraíso Terrenal. Dejemos el secreto de esos Peligros al hombre que, en esta Gran Sabana, desplegó a su modo las virtudes que se exigían de los naucheros, según el sabroso texto de *Las Partidas*: «que sean esforzados para sofrir los peligros e el miedo de los enemigos, otrosí, para acometerlos ardientemente cuando menester lo fuere». En la gran paz de esta meseta prodigiosa, donde no se sabe de un periódico desde hace seis meses, se escucha la voz del pequeño farmacéutico valenciano, que lleva en la mano el viviente caduceo de un bastón sobre el que se ovillan –en hipocrático ovillejo– tres culebras negras, acabadas de matar en nuestra presencia.

–Yo soy un aventurero, señor.

–¿Y cómo llegó usted aquí? –pregunta alguien.

–Caminando, señor.

–¿Y qué le atrajo hacia esta región?

–La Leyenda, señor.

¿Qué leyenda pudo perseguir hasta el pie del Roraima el Fundador de Ciudades, sino la leyenda del Dorado? La que encendió la codicia del Tirano Aguirre, y la del tudesco Hutten, y la del gobernador Antonio Berrio, y la del avisado político Walter Raleigh. La que los hombres de Europa persiguieron durante siglos, uniendo extrañamente al propósito de saquear el oro de Manoa, el anhelo de hallar una Utopía, una Heliópolis, una Nueva Atlántida, una Icaria, donde los hombres fuesen menos locos, menos codiciosos, viviendo una historia no empezada con el pie izquierdo. En América situaba Tomás Moro su Utopía: también en América debía hallarse la Ciudad del Sol de Campanella. En América fundó realmente Esteban Cabet su desdichada Icaria. En Manoa, precisamente, decía a Cándido el inevitable anciano razonador del siglo XVII francés: «Como estamos rodeados de intransitables breñas y simas espantosas, siempre hemos vivido exentos de la rapacidad europea, con la insaciable sed que le atormenta de las piedras y el lodo de nuestra tierra.» Es sumamente interesante observar que hombres como Lucas Fernández Peña y Félix Cardona, descubridores de yacimientos de oro y de diamantes que beneficiaron a otros, que alimentan ya empresas organizadas, jamás hicieron esfuerzos reales por enriquecerse con sus hallazgos. Es tal vez porque, en la gran aventura de soledad, de riesgo, de voluntad, que implica la condición de naucheros de la selva, estos hombres rebasaron, en sí mismos, la etapa espuria de la sed de riquezas obtenidas sin esfuerzos, para hallar la propia e íntima Utopía. La Utopía tangible en obras, sensible en recuerdos, de una vida lograda, de un destino impar, de una existencia afirmada en hechos, de un desprecio total por las deleznables facilidades de lo que llamamos la civilización. Dice Tomás Moro que Rafael Hitlodeo, al describir la isla de los utópicos, pasaba por alto «la descripción de monstruos, que no ofrece novedad alguna, ya que los Escilas, los rapaces Celenos, los Lestrigones devoradores de pueblos, y otros terribles y semejantes portentos, casi en ningún sitio dejan de encontrarse, mientras que no es tan fácil hallar ciudadanos gobernados sabia y rectamente».

Tal vez fuera esto, precisamente, lo que buscara en la grandiosa soledad de la Gran Sabana el pequeño farmacéutico valenciano. Un país sin gobierno, para poder gobernarse a sí mismo sabia y rectamente. Este aventurero que vino caminando en busca de la Leyenda del Dorado, dejó a sus espaldas, hace más de veinte años, una deleznable realidad de mazmorras, de adulaciones y de asa fétida, para encontrar, en esta Santa Elena de Uairén, bajo un techo de hojas, junto a la mujer del Génesis, una Utopía a la medida de su vocación misteriosa, de sus anhelos más profundos. «Sólo serán dignos de hallar el secreto de la transmutación de los metales, aquellos que no saquen provecho del oro obtenido», reza una de las leyes fundamentales de la alquimia –ley oculta que es, probablemente, el verdadero gran secreto del Dorado.

CIUDAD BOLÍVAR, METRÓPOLI DEL ORINOCO

Para Raúl Nass, a quien debo las nobles alegrías de este viaje inolvidable.

Después de un claro amanecer que nos encontró bajo el agua helada de una cascada, luego de un ingrato encuentro con una serpiente de cascabel, vamos hacia la pista de aterrizaje de Santa Elena, donde los motores de nuestro avión nos llaman con apremiantes ronquidos. Hoy es el día señalado para la partida –partida que no es regreso, sin embargo, puesto que sólo ahora iniciamos la segunda etapa de nuestro viaje, que habrá de conducirnos al mundo, tan distinto, del Alto Orinoco–, y el cielo se está cerrando con pasmosa rapidez, bajando pesadas nubes sobre las mesetas de la Gran Sabana. Apenas hemos levantado el vuelo, tenemos que torcer el rumbo para esquivar una perturbación de importancia, que se agrava de minuto en minuto sobre las cabeceras del Caroní. Esto nos promete la ventaja de pasar sobre la hoya del Cuyuní –otro río prácticamente inexplorado– rozando las fronteras de la Guayana Británica.

Pero el mal tiempo nos obliga a ganar altitud, burlando nuestra espera. Y de aquel paisaje sólo nos queda la visión dramática de dos cerros acamellados, surgidos de nubes impulsadas por vientos furiosos, y de un cauce que se enlaza y desenlaza, tan enredado sobre sí mismo que en ciertos lugares se corta y se cruza, como dibujando los caracteres de un alfabeto desconocido, en el fondo de la selva. La deficiente visibilidad, con su virtud de obligar al viajero a distraerse con sus propios pensamientos, me trae a la mente, por asociación de imágenes geográficas, el recuerdo de Alfred Clerec Carpentier, ese sorprendente bisabuelo mío –el primer americano de mi familia– que exploró estas tierras de Guayanas a mediados del siglo pasado, trayendo como amable trofeo unos yugos de oro guayanés que ahora tengo puestos. Capitán de fragata, hijo de un comandante de navío muerto heroicamente en la batalla de Trafalgar, este antepasado de marinera estirpe se había sentido seducido, desde muy joven, por las posibilidades de exploración ofrecidas por ciertas comarcas vírgenes de América. Las Guayanas, venero de riquezas, tierras que siguen poco menos que desconocidas en la fecha actual, le atraían muy particularmente. Así logró que el Almirantazgo francés le confiara la exploración del Oyapox u Ooiapoc, río fronterizo entre la Guayana Francesa y el Brasil, navegable sobre centenares de kilómetros.

Procediendo como los antiguos conquistadores españoles, Alfred Clerec Carpentier comenzó por planear y construir un barco apto a la navegación sobre un agua llena de traidoras corrientes y probables escollos. Pero, una vez terminada la construcción del *Oyapox* –que así se llamaba el barco– en un astillero francés, mi bisabuelo cobró fama de loco, pues las gentes empezaron a preguntarse, entre disimuladas carcajadas y con un asomo de razón, de qué manera aquel piróscafo de fondo plano iba a ser llevado al Nuevo Mundo. Pero el intrépido marino lo había previsto todo. Y, con una tripulación de bretones de pelo en pecho, especialmente seleccionados, culminó la increíble proeza de *atravesar el Atlántico en un barco fluvial*(!) llegando a Guayanas sin mayores tropiezos. Les quedó, desde entonces, el honroso apodo de *Oyapox,* y a su memorable hazaña se debió que otros miembros de su familia, seducidos a su vez por los prestigios de América, se estableciesen en Cuba, en Colombia, o en países de América Central, y tuviesen hijos latinoamericanos.

Con estos recuerdos me distraía en el tedioso encierro del avión metido entre nubes, cuando, de súbito, en la claridad de un ancho rayo de sol, apareció el Orinoco hacia el Este, cerrando el horizonte despejado. Y he dicho «cerrando el horizonte», porque, hasta el momento de conocer el Orinoco, jamás pude pensar que un río –cosa circunscrita, camino de agua apretado entre riberas– pudiera situarse en el límite de un área de visión con los prestigios de un brazo de mar, como si su orilla delimitara una tierra. Porque el Padre Orinoco no pide permiso a la tierra –como los ríos que se dejan conducir por el relieve de la tierra– para correr hacia donde se le antoje: el Padre Orinoco, por el contrario, parece haber roto la tierra con un gigantesco diente de arado; parece haberla dividido, haberla arrojado a ambos lados de sus aguas, como algo endeble, de muy mezquina índole. Donde está el Orinoco, lo que cuenta es el Orinoco.

La tierra parece haberse echado de bruces, amedrentada, ante el majestuoso fluir de su caudal profundo, revuelto de limos, atormentado, dentro de su inmensa unidad, por remolinos y corrientes contrarias, que en nada alteran su imperturbable presencia. Antes de recibir en el flanco derecho las aguas del Caroní, hijo de cataratas que caen de mesetas extraviadas en el cielo, el Orinoco ha casado ya las aguas tormentosas del Meta con las de ríos como el Apure y el Caura, mucho más importantes –tanto por el largo del curso, como por el tremendo empaque– que ciertos ríos europeos de hinchada retórica poética con poca agua verdadera. Antes de engendrar mil islas en los caños de su delta, el Orinoco se ha teñido de limalla de rocas, de arenas cobrizas, de resinas amarillas, robadas a los flancos de islas mayores, llamadas, por lo divino y por lo humano, Altagracia, Rosaria, Infierno, Mística, Isabel, Rafael, Tigrita, Rabopelado y Ratón.

«Tuvimos que anclar a orillas del continente, a la derecha, entre dos montañas...», escribía sir Walter Raleigh al narrar a la reina Isabel de Inglaterra su primera navegación en las aguas del Orinoco. «A orillas del continente [...] entre dos montañas.» Estas simples frases establecen, por sí solas, una escala de proporciones.

La histórica Angostura

Ciudad Bolívar –la histórica Angostura del Congreso– domina el Orinoco desde lo alto de una colina de suave contorno. Luego de haber dejado atrás el modernísimo aeródromo y un barrio residencial que pudiera haberse encontrado en La Habana, el forastero penetra en el casco de la vieja ciudad, empezada a construir en 1764, que ha conservado, por suerte, su linajuda quietud. La arquitectura de las casas, con sus rejas de barrotes de madera torneada, con sus tejados y voladizos, es la de ciertas residencias coloniales de Trinidad, de Santiago de Cuba, de Pátzcuaro. A veces, sin embargo, en mansión de mayor boato obsérvase un trabajo de arabescos y ornamentos ejecutado por curiosos ebanistas en madera espesa, y que se asemeja, bajo el alar de los soportales, a las famosas rejas de ciertas casas de la Luisiana.

La catedral con su torre redonda, su larga nave cerrando un parque tropical de muy romántica estampa, adolece, arquitectónicamente hablando, de la falta de unidad propia de ciertos santuarios edificados en América en las postrimerías del siglo XVIII, pero con presencia de ciertos elementos característicos, destinados a alimentar, en un próximo futuro, un estilo decididamente americano. (La ausencia de un gran estilo puede determinar un estilo; sólo ahora comenzamos a comprender el encanto de ciertas rocallas, las gracias del rococó, la poesía evidente de los baldaquines y espejos del Segundo Imperio.) Como otras tantas iglesias del continente, edificadas probablemente por alarifes vascos, la de Ciudad Bolívar nos ofrece, en su nave central, esas vigueterías a la vez sabias y rústicas, con oportunos esguinces de ménsulas, que podemos hallar en los pueblos de pescadores del golfo de Vizcaya. En penumbra de bóvedas encaladas blande su sable el eterno San Jorge vagamente barroco, con casco empenachado, juboncillo de terciopelo, y botas a media pierna, cuya indumentaria se asemeja tanto –como me lo señalaba un día Louis Jouvet en la cubana iglesia de Santa María del Rosario– a la de los trágicos que, en el siglo XVIII francés, interpretaban los grandes papeles de Racine. En el coro hay un órgano tosco, de veinte tubos montados en un bastidor de madera –evidentemente de factura americana, como otro que existió en Trinidad–, capaz de hacer caer de hinojos al reverendo padre Guillermo Furlong, docto investigador de la organografía colonial. Al lado del altar mayor, en una lápida tumbal, se ostenta esta inscripción que encierra, al estado bruto, todos los elementos de una gran novela:

JOSÉ A. MOHEDANO
SEGUNDO OBISPO DE GUAYANA,
MUERTO EN 1804
INTRODUCTOR DEL CAFÉ EN VENEZUELA

Luego de haber atravesado el parque, nos hallamos ahora en la sala rectangular, de crujiente piso de tablas, en las que se representó uno de los actos más extraordinarios de la historia de América. Acto extraordinario por su sentido premonitorio; por una certeza visionaria, que desafiaba el ridículo implícito en una derrota. Detrás de aquella mesa incómoda, con sus marqueterías embetunadas por el tiempo, se sentó Simón Bolívar cuando era, en su propia historia, lo que David, pastor de ovejas, fuera a la historia de David. Pensad en Colón, al partir de la Barra de Saltes, «andando con fuerte virazón hasta poner el sol hacia el Sur setenta millas». Pensad en Wagner, endeudado, solitario, perseguido, escribiendo dramas líricos destinados a un teatro que todavía no existía en Europa. Porque, cuando Simón Bolívar reúne a los delegados al Congreso de Angostura el 15 de febrero de 1819, aún no ha tramontado los Andes, aún no ha libertado la Nueva Granada; sus mejores jefes apenas si le obedecen; la causa republicana parece absolutamente perdida. Y sin embargo, es ése el momento que escoge aquel hombrecito nervioso, de ojos demasiado escrutadores para su medio, de frente demasiado alta para su tiempo, para convocar un congreso a orillas del Orinoco, en la antigua ciudad de Santo Tomás de la Nueva Guayana –la que el barón de Humboldt conociera, diecinueve años antes, plagada de fiebres, rodeada de espantables caimanes cuyos hábitos eran conocidos por los ribereños así «como el torero ha estudiado los hábitos del toro».

En aquella atmósfera –entonces tan hostil– se reúne un Congreso que pretende nada menos que establecer la noble locura de un gobierno constitucional. De rostro presente perduran, en sus marcos de oro, los hombres que integraron, con toda gravedad, este Congreso que sólo era, entonces, un Congreso de sombras –de sombras que a veces hablaban de «la felicidad del género humano» con viejo acento enciclopedista. Nombrado presidente provisional, Bolívar armó en el acto las barcazas para atravesar el río, dejando a cargo del ejecutivo fantasma al austero, agudo y flaco Francisco Antonio Zea. Y el 7 de agosto era la victoria de Boyacá. Todo lo soñado con temeridad de poeta en vísperas del Congreso de Angostura estaba realizado. Detrás de esta pequeña mesa que ahora tocamos, el Libertador tuvo el privilegio único de madurar una prodigiosa campaña militar, sin dejarse arredrar por su propia audacia. Hubo horas, en esta sala, en que Bolívar vivió el futuro haciendo del presente pretérito y del molino de viento gigante real, más vulnerable a la zumbante honda de David que a la lanza del Caballero de la Mancha.

Y ahora, luego de pasar frente a una botillería situada bajo la advocación literaria y llanera de *Cantaclaro* –en todo el país de América cantar claro o cantar liso, Cantaclaro, Cantaliso, se acompaña de una subentendida idea de censura política o garbosa insolencia–, nos encontramos de cara al Orinoco. Pero éste no es el verdadero. No es el que vimos desde el avión, ni el que veremos al remontar el río. Ciudad Bolívar se llamó Angostura en otros tiempos, precisamente porque el campanario redondo de su iglesia se alza sobre la máxima «angostura» del Orinoco. Aquí, el Padre Río se ve apretado en un canal de lajas, perdiendo en anchura lo que ha ganado en profundidad. Pero el forastero no viaja con una sonda en el bolsillo. De ahí que el Orinoco no deba contemplarse tan sólo desde los muelles de Ciudad Bolívar, so pena de decepción.

Hecha esta advertencia, debe señalarse, sin embargo, que este *river-side* tropical tiene un raro encanto. Aquí se encuentran esos vastos almacenes, descritos por Rómulo Gallegos, en los que «se vende de todo, al por mayor y al detalle: víveres, telas, calzados, sombreros, ferretería, talabartería, quincalla». Y también caramelos de colores, alcancías, juguetes de a centavo, ungüentos para las quemaduras, de esos que tienen por marca el retrato de un farmacéutico barbudo, muerto hace muchos años en alguna ciudad norteamericana de nombre extraño, como Tuscalosa o Kalamazoo. Desde una peineta de carey, hasta lo necesario para equipar una expedición al Ventuari o pertrechar una partida de rionegreros. Muchos de esos almacenes tienen, además, pequeñas industrias y manufacturas de tres operarios, en el fondo de patios techados, olientes a cuero, a serrapia y a plantas oleosas. Algunos apellidos corsos –según tradición señalada por el autor de *Canaima*– se ostentan en las fachadas.

Y heme aquí en la famosa Laja de la Zapoara, a cuyo jaboncillo pago el tributo de un largo resbalón hacia el agua. A la orilla de la corriente turbia varias lavanderas mestizas, con el busto desnudo y las camisas pegadas a las duras caderas, enjabonan ropas multicolores. Allá, sobre las aguas rapidísimas, se yergue la famosa *Peña del Medio,* índice eterno de las crecientes del Padre Río. Más allá, en la otra orilla, se divisa el melancólico caserío de Soledad. Al subir nuevamente la cuesta de roca, luego de hundir los brazos en el cuerpo tibio del Orinoco, descubro un hermoso palacio colonial, de una sola planta, con muchas ventanas enrejadas y un indecible aire de misterio, que me entrega el secreto de sus grandes salones desiertos. Aquí, donde debieron darse tantos saraos, donde algún día percutirían los tacones de Bolívar al compás de un *landler* alemán o resplandecería el cuello alamarado de Juan Germán Roscio sobre un juego de pruebas del *Correo del Orinoco,* cuelgan como cortinas de flecos amarillos, como mantones de pergamino, enormes cantidades de macarrones puestos a secar por un manufacturero de cultura mediterránea. Sobre esta visión, un tanto surrealista, de una extraña ornamentación comestible que hubiera encantado a Dalí, regresamos lentamente hacia nuestro avión.

Allá abajo, junto a los maravillosos muelles flotantes de la ciudad moderna, un buque de carga se apresta a zarpar hacia la Isla de Trinidad. Por contraste, vomitando humo, armando un tremendo estrépito de sirenas, alimentando un alboroto que hace arrojarse al agua una vaca demasiado impresionable, un barco plano de dos pisos –dormitorio arriba, comedor abajo, balcón alrededor– arroja las amarras, todo florecido de pañuelos emocionados. Es *El Meta,* uno de los viejos barcos fluviales del Orinoco, que remontará el río muy lentamente, luchando contra la corriente, invirtiendo siete días en llegar a puerto Ayacucho –punto que habremos de alcanzar ahora, saltando por sobre la Sierra de la Encaramada. El remanso que sirve de puerto al *Meta* es un cementerio de barcos; acuático rastro de herrumbrosos piróscafos, puente hacia la aventura, que durante años y años dejaron en misteriosas riberas a hombres que por demasiado buscar el relumbre del oro hallaron la muerte sin cruz. Esos barcos conocieron al cauchero enfermo que tirita de paludismo en cubierta, al leproso de mirada ausente, al misionero de sayal ceñido por un rosario de semillas. Son los barcos de los grabados en cobre que ilustraban las obras completas de Julio Verne de la edición Hetzel; son los de Emilio Salgari, y también los de Fenimore Cooper. Son los que siguen visitados por espectros de capitanes con gorra de cubrenuca, pantalón blanco, catalejo de extensión y barbas a lo Habsburgo. Dormidos hoy entre junqueras, medio invadidos por el agua, esos viejos barcos de rueda forman parte del gran romanticismo americano.

Con mucho de almadía, de belvedere y de caserón colonial, meciendo al garete sus timones de rueda, tienen algo de álbum de autógrafos, y algo, también, de *Nocturno a Rosario*.

EL PÁRAMO ANDINO

El viaje a la Gran Sabana y la jornada del Orinoco (a cuya primera descripción renuncio por ahora, puesto que tengo el propósito de remontarlo de nuevo en breve, pasando esta vez de los raudales de Atures para alcanzar el Amazonas por la remota vía del Casiquiare y el río Negro) me había dejado un ardiente deseo de conocer los Andes. Después de los portentos geológicos de la misteriosa meseta de El Dorado, después del espectáculo de la selva, de praderas habitadas por innúmeras manadas de venados de pelambre roja; después de asombrarme ante las enormes esferas de granito negro detenidas en las orillas del Padre Río como extraños monumentos erráticos, quería completar mi primera visión de la gran naturaleza americana –de la que establece nuevas escalas de proporciones ante los ojos del hombre– con el conocimiento de la alta montaña, de la adusta y escarpada cordillera que sirve de espinazo al Nuevo Mundo, y que, en su tránsito venezolano, se techa de páramos de una solemne y dramática vastedad.

Y, como hubiera dicho el narrador de *El Crotalón*: «por satisfacer de alguna manera el insaciable ánimo de mi deseo que tenía de ver tierras y cosas nuevas, determinéme de embarcar y aventurarme a esta navegación».

Arquitectura colonial

Después de ver paisajes de un tipo desgastado por el hábito, el camino a los Andes cobró nueva fisonomía, para mí, al salir de Barquisimeto. Estábamos en el medio de una llanura árida, de tierra caliza, cubierta de cactos y de plantas de mala estampa –todas erizadas de dardos y púas–, con los horizontes cerrados por extrañas montañas anacaradas, esculpidas por la luz en potentes volúmenes, que se destacaban, con transparencia de piezas de vitral, sobre un cielo profundamente azul. La sequedad, el silencio, la inmovilidad de ese paisaje casi mineral, donde las mismas plantas parecían hechas de una materia sólida, me hacían pensar, desde hacía rato, en otros paisajes contemplados en España –en los alrededores de Minglanilla, de Tarancón–, caracterizados por las mismas constantes de blancura, de piedras opalescentes sobre una tierra sedienta. A orillas de la ruta aparecían, aquí, allá, esos taciturnos cementerios larenses, mudos de toda inscripción, fecha o nombre; hechos de cruces toscas, al pie de las cuales, en recuerdo de una muy antigua tradición aborigen, hay ofrendas puestas en tinajas de barro. Secos, renegridos, de muy cabal apostura andaluza, los hombres de esta región de Venezuela, maestros en esgrimas de garrote y aceros, no siempre suelen erigir cruces a la memoria de difuntos que pasaron a mejor vida por obra de enfermedades o achaques de la vejez. Así, en un recodo solitario, uno de esos camposantos, de más tumbas que los anteriores, recuerda la sangrienta noche de un velorio de Cruz de Mayo en que los presentes dejaron en suspenso una figura del baile de *tamunangue* para acometerse ferozmente con los machetes.

Por un amable contraste, los pueblos que aparecen en medio de esa naturaleza de tierras desnudas y calcinadas, son maravillosamente acogedores, rientes, umbrosos, olientes al barro mojado de los porrones sudados de agua fresca. La añeja ciudad de Quibor, que nos sale al paso, es un rincón de Andalucía traído a América. Vasto museo de arquitectura colonial, la población ha conservado su integridad, sin que una edificación seudomoderna, un horror de cemento armado tipo Le Corbusier, haya venido a afear un conjunto armonioso de casas nada funcionales *–¡gracias a Dios!–*, en las que hay mucho «espacio perdido» para aislarse y soñar. Casi parece imposible que este marco de paz haya sido salpicado de sangre la noche en que el terrible conquistador Juan de Carvajal fuera prendido en la alcoba de doña Catalina de Miranda, en castigo por el asesinato de los tudescos Felipe de Hutten y Bartolomé Welser. Las calles siguen pavimentadas con guijarros redondos, como lo estaban en los primeros días de la colonia. Enjalbegadas de cal, las viejas casonas conservan sus patios blancos, con soportales interiores y pesebres para los borricos. A ambos lados de la iglesia se extiende un jardín de árboles tropicales, tan tupido y frondoso que las puertas del templo parecen abrirse sobre una selva. Todo es grato, limpio, en esta población entonada en blanco, azul añil y ocre. Los nombres de las tiendas *–La flor de mis esfuerzos, La fe en Dios, El sol de la mañana–* aparecen pintados en grandes caracteres de caligrafía romántica, con flores enredadas a las mayúsculas. En las casas se tejen mantas de lana, de vivos colores, y bajo el alar de muchos tejados gira el torno del alfarero. Y en una calle del pueblo, cerca de una ermita recoleta, un viejo artesano fabrica muebles de madera y pieles estampadas al hierro candente, con técnica heredada –lo afirma él mismo con orgullo– de «los primeros españoles que se establecieron en la región». De sus manos no salen nunca dos piezas iguales, puesto que el adorno de cada una responde a una inspiración distinta. Y, detalle que descubro con verdadera emoción, ese artesano gozoso de su labor *estampa su firma en cada uno de sus muebles*, llevado por la noble satisfacción de haber trabajado bien, de haber traído al mundo una miaja de belleza, en un gesto que desconocerán ya, para siempre, los obreros-máquinas, atados a las «cadenas» del fordismo y del estajanovismo, ignorantes de todo lo que pueda significar, en la labor cotidiana, la aplicación de un estilo, la afir-mación de una personalidad, la gracia de una ocurrencia.

Ahora entramos en la linajuda ciudad de Nuestra Señora de la Concepción de El Tocuyo, fundada hace más de cuatro siglos. Aquí advertimos las mismas constantes arquitectónicas que habíamos podido apreciar en Quibor. Ante la hermosísima fachada de la catedral, me veo llevado a observar cuán poco conocida es esta inmensa Venezuela, desde el punto de vista turístico, a pesar de que sus prestigios se impongan al viajero con caracteres tan propios y tan inconfundibles. Porque, aun desde el punto de vista meramente arquitectónico, hay mucho que estudiar, mucho que admirar, en cualquiera de los pueblos que atravesamos en esta ruta que nos conduce a los Andes. Sin tener la suntuosidad del barroco quiteño, ni la polícroma riqueza de ciertos templos mexicanos *–como el maravilloso santuario de San Francisco de Ecatépec, cerca de Cholula–*, la arquitectura religiosa venezolana se caracteriza por una voluntaria sobriedad de líneas, un majestuoso sentido de las proporciones, en función de una construcción maciza, hecha para ofrecer grandes planos, con molduras espesas, con hornacillas profundas, al juego de luces y de sombras. En cuanto a la arquitectura civil, la residencia colonial venezolana se distingue de la cubana por una mayor fidelidad a los patrones hispánicos. Cien veces, en Quibor, en El Tocuyo, he creído entrar en el patio de la Posada de la Sangre, de Toledo, esperándome a ver aparecer, detrás de borricos acarreadores de la vinagre del romance, las figuras picarescas y cervantinas de Chiquiznaque y el Maniferro, con la pobrecita Juliana la Cariharta.

La antesala de los Andes

Rodeada de pueblos encantadores –San Jacinto, con su rústica iglesia, sus confesionarios del siglo XVII; Plazuela, tan semejante a Castellón de la Plana– la ciudad de Trujillo nos espera en lo alto de sus peñas, con sus cuatro siglos de abolengo, sus recuerdos de Diego García de Paredes, de Sancho Briceño, el colonizador de pelo en pecho, que fomentó su hacienda en este lugar, desafiando la cólera de los indios bravíos de la montaña. La fuerza de la vegetación, el agua que corre por doquier, el aire tónico y liviano nos recuerdan que estamos hollando los primeros estribos andinos. Bajo nubes que difuminan las crestas más próximas, las inclinadas calles de Trujillo descienden hacia balcones naturales, hacia miradores y pasos orilleros, tendidos sobre panoramas que se coloran de cien maneras, según los disfraces de la tornadiza luz de alturas. Sustentada por viejas heredades comarcanas, ciudad donde muchos llevan todavía, con orgullo, el apellido de los primeros pobladores, Trujillo fue el escenario de uno de los más dramáticos acontecimientos de la Historia de América: en una de sus casas –en la que hoy se encuentran los salones del Ateneo–, firmó Simón Bolívar, después de una noche de cavilaciones febriles, su decreto de guerra a muerte, prólogo de los años terribles de 1813-1814. Transformada en biblioteca pública, la estancia en que se redactara el documento conserva todavía, a pesar de su luminosidad, a pesar del amable lomerío de los libros, algo de la presencia del pasado que con tan inquietantes prestigios se mantiene en ciertos lugares históricos, marcados por la tragedia, o por el recuerdo de un gesto trascendental: la casa frente a la cual Morelos fuera fusilado, por ejemplo, o el sencillo obelisco que señala, en el campo de batalla de Carabobo, el lugar en que cayó Sedeño, bravo entre los bravos.

De Trujillo a la ciudad de Valera, que se nos ofrecerá sobre una meseta, rodeada de sus siete colinas, una vegetación muy tropical se aprieta en torno a nosotros, como para mejor preparar el gran contraste que nos espera. A nuestra izquierda se abre ahora un hondo desfiladero, en cuyo fondo corre el río Motatán que habrá de llevar al tórrido Lago de Maracaibo unas aguas que todavía conservan, en esta antesala de los Andes, su mitigada frialdad de nieve derretida. El paisaje, con sus cipreses, con sus árboles más diseminados, se parece sorprendentemente, ahora, a los de la entrada de España por la vertiente atlántica de los Pirineos. Pero esto sólo dando como una impresión fugaz, porque estamos empezando a subir muy seriamente –a subir hacia los páramos situados mucho más alto que las más elevadas aldeas montañesas de Europa, donde viven hombres que, según la hipótesis del conde de Keyserling, sólo pueden haberse ido a trabajar y procrear a semejantes altitudes huyendo de algún cataclismo que bien podría haber sido el Diluvio Universal, mencionado por todas las mitologías, trátese de religiones de egipcios, de chinos, de indios del Orinoco, o de habitantes de las islas Tonga.

El Páramo de Mucuchíes

Después de un descanso en la Mesa de Esnujaque, a mil ochocientos metros de altitud, donde hallamos un pueblo encantador, delimitado por precipicios y quebradas hondas, que se parece sorprendentemente a El Toboso, reanudamos la ascensión por Timotes. Rodeada de eucaliptos, cipreses y pinos, esta población es justamente famosa por sus cobijas y ruanas de lana pura, vendidas al peso, y por sus danzantes que ejecutan un antiquísimo baile consistente en trenzar y destrenzar cintas en torno a un mástil, todos coronados de oro, plata y flores, como los Reyes Magos de un Nacimiento provenzal. A medida que vamos ascendiendo hacia las cumbres, la montaña nos ofrece nuevas flores. Casi podría decirse que un ojo habituado podría determinar los cambios de altitud, mejor que con un altímetro, observando el color de las flores. A dos mil quinientos metros, las laderas de las montañas se llenan de flores azules, de un azul tierno, ligero, de cielo de alba. Luego son pensamientos, como hechos de un terciopelo espeso, los que abren sus ojos amarillos en fondo violado, a la orilla de los precipicios. Y así llegamos a Chachopo, el caserío más elevado de esta vertiente, todo envuelto en una fragancia de plantas y yerbas montañesas. Chachopo es famoso, además, por un rústico comercio de yerbas medicinales, sobre cuyo estante leemos estos nombres:

Yerba de oso
Vinagrillo
Mejorana
Membrillo de páramo
Barbasco
Salvia
Grama paramera...

Ya estamos muy por encima de las nubes que se estacionan allá abajo, en el fondo del gigantesco desfiladero por el que hemos estado ascendiendo hasta ahora, con el vértigo presto a apretarnos las sienes en cada recodo del camino, que va bordeando simas espantables. Los hombres, los niños que encontramos, todos florecidos de pensamientos, son montañeses fornidos, de blancas dentaduras, de ojos profundos, habituados a luchar contra el frío y las tormentas, y a trabajar la tierra bajo la ventisca, construyendo cercas de piedra para desviar las nieves derretidas de las cimas, y eras de piedras donde ahechar el trigo. Pero su seguridad de hombres saludables, desconocedores de las plagas del trópico, las risas francas de sus hijos que hablan un castellano cantado, perfectamente dicho, de cuyas palabras no deja de pronunciarse una sola letra, contrastan con la solemne y grandiosa desolación del paisaje. Ahora, sobre un sueño de guijarros desprendidos de los picachos, sólo crecen dos plantas: una especie de cactácea con flores de color azafrán, y el característico *frailejón* de los Andes, cacto que parece hecho de un fieltro gris verde. En todas partes corren pequeños torrentes de agua helada, contribuyendo, con su humedad, a ennegrecer una tierra ya sombría en sus ocres, en sus vetas pizarrosas, en sus escombros de montañas. La entrada al Páramo de Mucuchíes nos ofrece un espectáculo de una grandeza tal, de una fuerza dramática tan extraordinaria, que nos detenemos, sobrecogidos, con la vaga sensación de espanto, de miedo cósmico, que se tiene a veces ante los grandes misterios de la naturaleza, ante sus creaciones situadas fuera de toda medida humana.

Estamos a más de cuatro mil metros de altitud. El paso a la otra vertiente se hace por una garganta barrida por nubes furiosas, que desembocan entre dos picos de laderas con verticales, que oponen al viento helado sus filos erguidos como proas de naves ante una casi perenne tempestad. Esos dos picos, canalizadores de brumas, de nieves, de tormentas, yerguen sobre el páramo enormes perfiles negros que tienen ese característico diseño de tienda sostenida por dos mástiles –con algo de cuchillo curvo, algo de techo y de espolón– de muchas formaciones rocosas de los Andes. Aquí, la vegetación ha desaparecido casi por completo, no subsistiendo más que el *frailejón* asido a sus peñascos como un liquen de flora prehistórica. Todo es duro, todo es hostil, todo es sombrío, todo es trágico, en estas desoladas altitudes que ejercen sin embargo una extraña e invencible fascinación sobre el espíritu. A la orilla de un mar de nubes que tiene cuatro mil metros de profundidad, en el borde de una terraza rocosa que se hunde en la bruma, como si condujera a un mundo misterioso y velado, hay momentos en que dan ganas de huir, de regresar cuanto antes a las casas de los hombres; pero hay momentos, también, en que dan ganas de acostarse sobre la tierra fría, de no abandonar un paisaje, reducido a sus más simples y poderosas expresiones telúricas, generador de lindes y de bellezas que fueron las primeras cosas que conociera el ser humano. Hace dos días, el lugar en donde nos hallamos estaba cubierto de nieve. Allá, detrás de las nubes que lo cubren, se alza el eterno helero del Pico Bolívar. Hace poco, varios excursionistas, agarrados arteramente por el «mal de páramos», se durmieron para no despertar más, llevados por la muerte más suave que pueda conocer el hombre, ya que le hunde, sin que él se dé cuenta dc cllo, en un sueño de las alturas. El Páramo de Mucuchíes es uno de los techos de América. Pero es también –¡es fama!– uno de los pasos más dramáticos, más aplastantes, más imponentes, de toda la Cordillera de los Andes.

Hay emociones que recompensan a un hombre de años de lucha, de rutinas, de monótonas limpiezas por el modo de vivir de los demás. Cuando volví a la Mesa de Esnujaque, luego de ascender a la alta montaña, tuve la sensación de que mucho puede perdonarse al destino, cuando es capaz de ofrecernos compensaciones como esta visión que acabo de tener del mundo lunar del Páramo de Mucuchíes.

II

TIERRA FIRME

AÑORANZAS IMPOSIBLES

«Oh, 1900!», suspiraban nuestros padres, evocando la Exposición Universal de París, los «bandós» de Cléo de Mérode, el calañés de la Bella Otero, los cosacos del zar Alejandro y los relumbrantes coches –ya amenazados por los primeros Panhard-Levasseur– que pasaban frente al Restaurant Maxim's, donde una orquesta de gitanos tocaba el vals *Cuando el amor muere*.

«¡Oh, 1920!», suspiran ya muchos contemporáneos nuestros, en París, en Nueva York, añorando los días del Tratado de Versalles, las películas de Lilian Gish y Theda Bara, la melodía de *Hindustan*, el *Serranillo* de Consuelo Mayendía, y la gesta de Gabriele d'Annunzio en Fiume.

1920 es un año puesto de moda, actualmente, por las nostalgias de quienes veían abrirse, al final de la primera guerra europea, una era de paz inacabable. Ciertas revistas consagran números especiales a la evocación de las costumbres, modas, espectáculos, de aquel tiempo pasado. Scott Fitzgerald vuelve a tener millares de lectores, porque sus novelas, independientemente de su mérito, evocan vigorosamente el mundo de la primera posguerra, con su Costa Azul invadida por los rusos blancos, los intelectuales norteamericanos en Montparnasse. Unamuno en el desierto y los *speak-easy* de la Prohibición. Por una vez, París y Nueva York se conciertan en proclamar que los años que corrieron de 1920 a 1929 fueron los de una «época dichosa».

Estas añoranzas, que están dando buenos frutos en Europa y los Estados Unidos, por cuanto se hacen pretextos para establecer balances y proceder a útiles revisiones, vienen a demostrarnos de modo elocuente hasta qué punto el ritmo histórico y económico de América Latina obedece a leyes distintas, y cuán vano es tratar de ajustarlo a un «tempo» ajeno, que pudo, a lo sumo, imponernos una moda de faldas cortas y talle marcado en las caderas, pero en modo alguno nos hizo partícipes de alegrías, prosperidades, euforias, hoy recordadas, con saudade, por hombres de otras latitudes. Pudo algún Don Secundino de nueva cosecha haber asistido a las fiestas de Randolph Hearst y Marion Davies, o haber aplaudido a Harry Pilcer en el Casino de París, cuando lanzaba el jazz como la gran novedad del día. Pudieron ciertos turistas regresar de la Europa de entonces, luego de haberse codeado con el presidente Wilson y Briand: nuestro 1920 fue algo muy distinto –algo muy poco propicio, en verdad, a ser contemplado, desde 1951, como una «época dichosa».

En 1920, casi todas las naciones de nuestro continente fueron afectadas por una gravísima crisis económica, causada por el repentino cierre de mercados que la guerra nos tenía abiertos. Venezuela, que no estaba al margen de esa crisis, acababa de padecer el terrible flagelo de la «gripe española» –mal que nos azotó a todos, con rigores de peste medioeval. En casi todas partes se vivían días de penuria y de tragedia política. En Cuba, pasada la famosa «danza de los millones», motivada por la alta cotización del azúcar, se estaba produciendo el crack financiero más tremebundo de la historia contemporánea, con ruinas, pánicos y suicidios. México estaba todavía en los días más dramáticos de su revolución. Naciones que hoy se cuentan entre las más prósperas del continente, sufrían dolorosas crisis de adolescencia. El panorama del Nuevo Mundo era angustioso bajo muchos aspectos...

¡No! ¡Decididamente!... Las añoranzas del año 1920 no se hicieron para nosotros.

MONTE ALBÁN

Habíamos salido de Oaxaca bajo la niebla de una mañana particularmente fría (en México se registraban temperaturas nocturnas de siete grados bajo cero) y ahora, dominando la evanescencia del valle, desembocamos en la gran plaza de Monte Albán... Mucho me habían hablado los arqueólogos, los viajeros, de este «alto lugar» de la historia americana, situándolo por encima de otros sitios arqueológicos, acaso más famosos. En cuanto a mí, debo decir que los elogios escuchados hasta ahora me parecieron de pronto pálidos e inexpresivos: Monte Albán es la Micenas de América, una Micenas más vasta, con mayores vestigios y, sobre todo, con una historia más larga. Muy pocas ruinas, de las que quedan en el ámbito del Mediterráneo, pueden comparársele en grandeza, en proporciones. Allí hay templos ciclópeos, santuarios numerosos, sepulturas, residencias de sacerdotes, un juego de pelota, un reloj de Sol, un observatorio semejante a una nave, con miradores que permitían observar, con una precisión que asombra a los científicos modernos, el movimiento de los astros... Vasta ciudad sagrada, la de Monte Albán nos narra la historia de una evolución artística y cultural, material y teológica, plástica e institucional, que se escalona entre 700 años antes de Cristo y los años próximos a la conquista, con un auténtico período clásico que viene a situarse hacia el 500, cuando Europa vivía siglos oscuros y turbulentos, en una vacilante búsqueda de estilos arquitectónicos que aún no habían cristalizado en sus edificaciones.

Desde el ciclópeo peristilo del gran templo Norte, contemplábamos los restos de un templo, mucho más pequeño, situado a la derecha, y cuyas escaleras y fustes de columnas tenían una delicadeza helénica en sus proporciones. De pronto, unos visitantes aparecieron en un ángulo de ese templo, destacando sus siluetas sobre el infinito –ya encendido por un Sol meridiano– de las montañas circundantes. En aquel momento, una maravillosa armonía se estableció entre la estatura humana y las dimensiones de cuanto constituía el pequeño templo. Comprendimos entonces que sus terrazas, sus escaleras, sus columnas, su *loggia* central, habían sido medidas en función del hombre, de las medidas del hombre, obedeciendo a un cálculo que había llevado a los arquitectos zapotecas a hallar una relación proporcional entre el edificador y lo edificado, semejante a la que un Le Corbusier ha establecido, en nuestros días, con su «modulor».

Y luego es la relación entre lo edificado y lo circundante. La casa de los danzantes, con sus glifos misteriosos, las plataformas, las pirámides, los templos, las sepulturas, todo se inscribe en el paisaje montañoso como una prolongación y complemento, como si fuese pasando insensiblemente de lo edificado a lo creado, en un proceso de portentosa recurrencia. Recurrencia que acaso existiera en el pensamiento teológico, filosófico, de edificadores capaces de haber situado, en la entrada de la llamada Tumba 104, el más hermoso símbolo que se pueda colocar en la entrada de una sepultura: el dios de la lluvia montado en los hombros del dios del maíz, dejando gotear sus dedos sobre él. La lluvia humedecerá la tierra, de la cual brotarán nuevos retoños, anunciadores de la espiga, ciclo de la eterna fecundidad, ruedo eterno de que lo fenecido hace simiente para otras epifanías...

Era el día 2 de enero de 1951. A las dos de la tarde, de regreso a Oaxaca, atravesamos un mercado cuyos altoparlantes, de pronto, arrojaron a la plaza la noticia de los acontecimientos ocurridos en Caracas el día anterior. Del año 700 antes de Cristo caíamos, de súbito, en la más palpitante actualidad... Actualidad que, en la lejana ciudad del istmo de Tehuantepec, apasionaba a las gentes que se disputaban los primeros periódicos traídos, por avión, desde la capital. En todas partes latían corazones en simpatía y fraternidad con los del pueblo de Venezuela.

EL GRAN LIBRO DE LA SELVA

Hasta hace poco, el nombre de Alain Gheerbrant me era totalmente desconocido. Nada sé, pues, de su competencia arqueológica, de su rigor científico, e ignoro, asimismo, si un viaje realizado por él, durante los años 1948-1950, a lo largo de la sierra de Parima, en la cuenca del Alto Orinoco, y a lo largo del Guaviare, presenta algún interés como trabajo de exploración. Lo cierto es que los periódicos franceses andan muy ricos, estos días, de fotografías de indios maquiritares que parecen bastante auténticos, y que servirán para ilustrar un libro de Gheerbrant que ya anuncian las ediciones de Gallimard. Por lo demás, si traigo a esta columna hoy el nombre del viajero francés es porque acaba de publicar, en un gran semanario literario de París, un artículo tan sumamente interesante que no resisto la tentación de traducir algunos de sus párrafos. Se trata de la relación de un descubrimiento de petroglifos, relacionados evidentemente con los petroglifos que a cada paso se encuentran en todo el Alto Orinoco, pero que por su número e importancia parecen superar las muestras que hasta ahora conocemos de esas misteriosas figuraciones zoológicas y astrales que tanto interesaron a Humboldt. El hallazgo de Gheerbrant se sitúa en la región del Guaviare, a unas diez horas de marcha de un caño llamado Guayabero. El viajero, por otra parte, nos advierte que en un villorrio llamado San José le habían señalado la existencia de su vasta superficie cubierta de pinturas y tallas en un monte lejano, aunque ninguno de sus informadores hubiera ido hasta aquel lugar. Y he aquí lo que nos dice Gheerbrant de su asombro, al encontrarse, de súbito, frente a un vasto libro perdido en la selva:

> Durante una hora, permanecimos mudos. Mirábamos esos dibujos, los unos encarnados, vivos de color como si hubieran sido trazados el día anterior, mientras otros, casi borrados, no eran sino sombras rosadas sobre la piedra. ¿Quién? ¿Cómo? Las preguntas se enredaban en nuestras mentes. Ciertos dibujos estaban trazados a la altura del hombre, mientras que otros, que llegaban a medir dos y tres metros de ancho por otros tantos de alto, estaban como suspendidos en el vacío, a veinticinco metros más arriba de nosotros, sobre aquella pared lisa, vertical, que ningún alpinista había logrado escalar.
>
> Acampamos al pie de la piedra, y durante veinticuatro horas estuvimos discutiendo, comparando mentalmente nuestro descubrimiento con los dibujos prehistóricos de Altamira, de Lascaux, las inscripciones rupestres del Hoggar, los petroglifos que habíamos visto en el río Negro, el caño Casiquiare, y el Orinoco... Evidentemente, había algún parentesco con lo último. Y sin embargo, de hora en hora se afianzaba en nosotros la convicción de que estábamos ante un hecho nuevo, absolutamente original, en la historia de las artes primitivas.
>
> Ciertas formas, que parecían más recientes, eran puramente abstractas y geométricas, pareciendo pertenecer a una época transitoria entre el dibujo más estilizado y el alba –tal vez– de una escritura. Pero la mayoría de las otras formas, sobre las cuales se inscribían estas últimas, combinaban formas de animales y de hombres, interpretados con mayor o menor libertad... Desde el primer momento nuestra

atención fue atraída por dos grandes animales que ocupaban el centro de un ancho espacio de roca blanca. Nuestro baquiano indio, que había identificado inmediatamente las formas de tortugas, caimanes, báquiras, que corrían un poco más lejos, sobre un friso, permanecía mudo ante ese dibujo, sin saber cómo se llamaban los animales representados, sin parentesco alguno, evidentemente, con la fauna ecuatorial americana. Nuestra hipótesis fue que se trata de llamas, por la forma característica de la cabeza, de la cola y de las patas. Y sabíamos, sin embargo, que jamás habían existido llamas en aquella región. ¿Entonces?... ¿O habría existido, en tiempos remotos, alguna comunicación posible entre los chibchas de Colombia o los indios de esta comarca con las altas mesetas del Perú?

LOS HOMBRES LLAMADOS SALVAJES

El Orinoco está de moda. Abre usted un periódico de París y se encuentra con la sonrisa de un maquiritare o una churuata de indios piaroas. El ex rey de Bélgica está navegando por el Sipapo o el Autana en compañía del profesor Cruxent. Hace seis meses, con el descubrimiento de las fuentes del Padre Río, se culminó una de las grandes proezas geográficas de la historia –tan importante, para el conocimiento del planeta, como la ubicación de las fuentes del Nilo. El nombre del gran explorador alemán Theodor Koch-Grunberg es citado a menudo estos días en artículos consagrados a la más fascinante región de nuestra América. También el buen fraile José Gumilla se ha visto citado en la orden del día con alguna reproducción de los dibujos primorosos que adornan su libro fundamental.

En momento tan propio acaban de publicarse, en París, dos libros del explorador Alain Gheerbrant. El primero, consagrado al relato de sus viajes por la cuenca del Orinoco, la sierra de Parima y al Alto Amazonas. El segundo reúne, bajo el título de *Los hombres llamados salvajes*, las fotografías tomadas durante la expedición, e incluye dos aspectos del famoso acantilado del caño Guayabero, donde el autor descubrió –luego de ser orientado en su búsqueda por los vecinos de un pueblo llamado San José– uno de los más extraordinarios conjuntos de pinturas y petroglifos que la selva haya entregado a nuestra curiosidad.

Aunque hay que aceptar con suma cautela los relatos de ciertos viajeros europeos que por ser arrojados y perseverantes en sus andanzas no resultan muy científicos en sus observaciones, debe reconocerse que el álbum de fotografías, al menos (aún no ha llegado el otro libro a Caracas), parece establecido con la mayor seriedad. El autor ha excluido todo sensacionalismo fácil, ateniéndose a lo que tiene interés real: la belleza de paisajes desconocidos y los modos de vivir de hombres que nos ofrecen la estampa de lo que fuimos, culturalmente hablando, hace millares de años. Y como siempre, cuando nos acercamos a la existencia del habitante de la selva amazónica, resalta en el acto la superior cultura del pueblo piaroa. No sólo tiene el piaroa el sentido del adorno, del objeto proporcionado, de la joyería, de la tiara, de la cestería fina, de la taxidermia mágica, sino que posee ya una forma primera del teatro, bajo la forma de una ceremonia ritual, de gran aparato, fotografiada por Gheerbrant en todos sus detalles. Ceremonia consistente en una suerte de «auto sacramental» primitivo, con acción coreográfica de un «demonio enmascarado», rodeado de cinco personajes totalmente vestidos de fibras, con el semblante oculto, que avanzan gravemente, en teoría, como majestuosos espíritus de la espesura. Una orquesta de grandes trompas de madera y varias flautas acompañan este drama-ballet, en tanto que dos músicos hacen bramar siniestramente la jarra con dos embocaduras que el padre Gumilla nos mostraba en su viejo libro misionero.

Estas y muchas otras imágenes hermosas contiene el recientísimo libro de Alain Gheerbrant, que contribuirá a mantener la boga de que disfruta –valga el juego de palabras– el Orinoco en estos días.

FIN DEL EXOTISMO AMERICANO

«Exótico», dice cualquier diccionario, es «lo extranjero, lo peregrino»; «animal exótico, planta exótica». «Exótico» –no lo decía cualquier diccionario, hace cincuenta años, porque los diccionarios observan una cierta política de urbanidad para con los consultantes– era el latinoamericano ante los ojos del europeo. Es decir: del europeo situado encima de esos Pirineos que, según una frase tan cruel como famosa, señalaba el comienzo del continente de más abajo –continente de poco más o menos que, por cierto, está despertando de una manera tremebunda tras de ocho siglos de modorra, anunciándose como una presencia que mucho habrá de contar en un próximo futuro.

Para España, por razones que todos sabemos, amamos y padecemos, nunca fuimos exóticos, porque ningún camino recorrido por nuestra propia sangre puede sernos exótico. Pero, para los hombres ajenos al magno acontecimiento de la Conquista, y que sólo se asomaron a nuestro continente desde la borda de las naves filibusteras o bajo el ala del sombrero de Paulina Bonaparte, fuimos durante mucho tiempo los grandes exóticos del planeta. El Segundo Imperio francés nos conoció en la persona de López, futuro dictador de Paraguay, que andaba por las calles de París, todo empenachado, seguido por una banda de música. También había un millonario brasileño, hecho famoso por una opereta de

Offenbach... El siglo XVII nos veía a través de la Fiesta Inca que constituye uno de los pasajes capitales de *Las Indias Galantes* de Rameau. Voltaire nos trató con ironía; Montaigne, con bondad y fe en nuestro futuro; Goethe, con entusiasmo ante la visión de lo que nos quedaba por hacer. Pero, por lo demás, fuimos generalmente, pero hasta hace muy poco, la «planta exótica» de los Diccionarios. Y lo exótico es lo que está fuera. Fuera de lo que se tiene por verdad en la cultura de una época, en su vida civil, en los usos y costumbres que determinan su estilo.

Pero hete aquí que, un buen día, Europa se maravilla ante la revelación de *Redes*, la magistral película que marcó los comienzos del auge mundial del cine mexicano. (El cine de un país debe comenzar por acreditarse con películas de calidad; no con producciones de las llamadas «comerciales».) Con *Redes* venía también la magnífica partitura de Silvestre Revueltas. Hubo, luego, el compás de espera de la guerra. Pero, a poco de terminarse la contienda, fueron los grandes premios ganados en Cannes por películas latinoamericanas. Y los festivales de Heitor Villa-Lobos. Y la traducción al francés del *Canto General* de Neruda. Y el premio literario ganado por *El Señor Presidente* de Miguel Ángel Asturias. Y el éxito de *Montserrat*, con su acción situada en Venezuela. Y unas diez novelas latinoamericanas traducidas a idiomas europeos. Y el descubrimiento de las fuentes del Orinoco. Y la prodigiosa exposición de arte mexicano en París.

Lo exótico es, por definición, lo que está fuera. Aquello que los griegos llamaban «los bárbaros». Gente del Ponto-Euxino, lestrigones, hiperbóreos... Pero, en menos de diez años, los bárbaros, los paramantes, los lotófagos presentaron sus tarjetas de visita. Y tan buenas eran esas tarjetas de visita, con sus caracteres en buenos relieves de celuloide, de música, de papel impreso, que hoy, en Alemania, en Francia, hay gente que hace –¡asómbrense!– falsa literatura latinoamericana. Es decir, novelas que ocurren en México, en el Brasil, en Venezuela. Más aún: un gracioso autor ha tenido la increíble idea de transformar la novela en acción... *Los Sertones* de Euclides da Cunha, clásico de la literatura brasileña. Y otro ha imaginado una acción que gira en torno a la construcción de un puente sobre el Casiquiare...

Como decían los indios de una caricatura, debida a un admirable humorista –indios que contemplaban melancólicamente la llegada de las carabelas de Colón–: «¡Caray! ¡Ya nos descubrieron!...»

Y POR FIN LLEGARON LAS AGUAS...

...Y, como en la Biblia, los hombres echaron a andar, en busca de tierras de bonanza. Y llegaron a la selva, y remontaron el río durante muchos días y muchas noches. Cuando llegaron a una región donde crecían árboles de los que buscaban, se detuvieron y fundaron una ciudad. La primera ciudad de la selva, que pudo llamarse la Ciudad de Henoch, porque en ella apareció un primer herrero, semejante a Tubalcaín, y alguien, que no se llamaría Jubal, hizo escuchar, por primera vez en aquellos parajes, el tañido de un arpa.

Pero si el modo de fundar la ciudad fue semejante al que usaron los hombres de Henoch, los edificios que se alzaron, muy pronto, diferían de los que se describen en la Biblia. Mucho tenía la ciudad, sin embargo, de Babel, y, en ella, se rendía un cierto culto al Becerro de Oro, porque los negocios eran excelentes y el caucho alcanzaba precios nunca vistos... Así, no lejos de las *Victoria Regia* que abrían sus corolas enormes sobre las aguas, dormidas, encubridoras de añagazas, se alzó pronto un edificio insólito en tales latitudes: un Teatro de la Ópera, de mármol rosado, donde sonaron los instrumentos de una primera Obertura. Y en su escenario cantaron los artistas de una compañía italiana venida de Milán; y el público arrojó a las «divas» unas flores extrañas, cuyo nombre desconocían, y se vieron, a dos pasos de la selva en tinieblas, unos alardes de lucir joyas y ropas de gran empaque, que evocaban los fastos de las grandes noches de ópera romántica, tal como los ancianos recordaban haberlos visto en los tiempos ya remotos en que el emperador dispensara su magnánima protección al compositor Carlos Gómez...

Luego, fue la decadencia de la ciudad, en cuanto al tráfico y los negocios. Los árboles que habían atraído a tanta gente daban una savia que se cotizaba a precios más bajos. No volvieron las compañías de ópera, y los fracs, roídos por los hongos del trópico, se guardaron en la hondura de los arcones. Surgieron, entonces, otros comercios, otras industrias, que aseguraron a la ciudad un crecimiento más armonioso, continuado y lógico. El hombre de Manaos entró en la mitología de América. Se hizo la auténtica Metrópoli de la Selva –ciudad en la que los hombres, luego de hermosa lucha, hubieran logrado imponer un coto a los furores y desbordamientos de la selva... ¡Otra victoria del hombre contra la devorante naturaleza del continente!...

¿Otra victoria?... Ya leyeron los cables de ayer: «Esta capital ha sido inundada por la corriente arrolladora de los ríos desbordados de la región, que han alcanzado el nivel más alto de que se tenga conocimiento. Varios contingentes de lanchas a motor se ocupan en matar serpientes capaces de devorar personas, así como enormes lagartos que han sido arrastrados por las aguas de las selvas del Amazonas y el río Negro»...

¿No era Goethe quien decía que el hombre, en nuestro siglo, viviría en una amable naturaleza por siempre domada?...

EL EMPERADOR KAPAC-APU

«Descubrieron en Perú la tumba del emperador Kapac-Apu [...]. Gobernó hace cuatro o cinco mil años, mucho antes de la civilización inca [...]. El sarcófago tiene gran semejanza con el de los faraones de Egipto.» Esto es, en síntesis, lo que podía leerse ayer en una información publicada en las páginas de nuestro diario. Un descubrimiento más, que hace retroceder en el tiempo, de manera vertiginosa, la antigüedad de ciertas civilizaciones del continente. Un hallazgo que se suma a la reciente revelación de que el suelo de Perú estaba cubierto, en cierta región costera, de dibujos gigantescos –algunos miden hasta siete kilómetros de largo–, cuya presencia plantea a la arqueología americana uno de los problemas más serios que se le hayan propuesto.

En ciertos textos de comienzos de este siglo, se afirmaba, con pasmosa suficiencia, que el estudio de las civilizaciones antiguas del Nuevo Mundo había alcanzado las fronteras extremas de la investigación posible. Creo que fue uno de los «científicos» de don Porfirio Díaz quien declaró, en días del Centenario de la Independencia, que se sabía cuanto podía saberse acerca de la historia de los aztecas y mayas. Más allá de lo estampado en los libros, era el *no-man's land* arqueológico –el misterio de las edades remotas, sin testigos ni cronistas. Aun en los días de mi bachillerato, los textos coincidían todos en situar los orígenes de las culturas americanas hacia el siglo II de nuestra era; su florecimiento, entre los siglos XI y XIV. Luego entraban en una decadencia que las había entregado, casi sin resistencia, a los conquistadores.

Desde entonces conocimos la maravilla de Machu-Pichu. La selva nos entregó los frescos magníficos de Bonampak, y de sus escondrijos de lianas salieron gigantescas cabezas de piedra, de ojos cerrados, contempladas nuevamente por los hombres al cabo de siglos. Una pirámide reveló el secreto de un rey dormido en sus entrañas, en tanto que lo emperadores de Perú están surgiendo de sus sepulcros, uno a uno, para decirnos su edad y reírse de nuestra prudencia en cuanto a las estimaciones cronológicas... Ante tales cambios impuestos a nuestras nociones, ante el descrédito de tantos textos, llegamos a la conclusión de que empezamos apenas a saber algo acerca de la historia antigua de América. Y si en los pocos años que llevamos consagrados, de modo sistemático, al estudio de nuestra arqueología, hemos realizado tan prodigiosos descubrimientos, ¿cuántas sorpresas no nos reservan, todavía, ciertas mal exploradas regiones de nuestros mapas?...

Ante hallazgos como el que nos anunciaba el cable de ayer, acaba uno por pensar que es aún demasiado temprano para empezar a estudiar –con ánimo de lograr visiones de conjunto– las antiguas civilizaciones del Nuevo Mundo.

NECESIDAD DE UN INTERCAMBIO CULTURAL ENTRE LOS PAÍSES DE AMÉRICA LATINA

La necesidad de un intercambio cultural entre los países de América Latina ha sido proclamada mil veces por los intelectuales de nuestro continente. Por lo mismo, hubiera sido de esperar que ese intercambio se intensificara de año en año, propiciando un mejor entendimiento entre los hombres de nuestros pueblos... Sin embargo, cuando comparamos la situación presente con la que podía contemplarse hace un cuarto de siglo, nos parece, por el contrario, que ese intercambio, lejos de cobrar mayores vuelos, se ha ido reduciendo con el tiempo. Claro está que no nos referimos aquí a los envíos de libros hechos por sus autores, cada vez más numerosos, puesto que contamos ahora con un mayor número de escritores que antes. Tampoco pensamos en la excelente labor realizada, con sus legítimos medios, por nuestras direcciones de cultura. Tampoco olvidamos la gran realización positiva que fue el reciente Festival de Música Latinoamericana de Caracas... Pero si enfocamos el sector, tan necesario, de las revistas inteligentes, veremos que éstas son menos numerosas que antaño, o, en todo caso, circulan mucho menos a través del continente.

Hace veinticinco años el *Repertorio Americano* de García Monge cumplía una tarea de ecuménica información, con sus entregas regulares, ansiosamente esperadas en todas partes. La revista *Nosotros* de Buenos Aires corría de Sur a Norte. También en Buenos Aires se publicaba un periódico, calcado sobre los patrones de *Les Nouvelles Littéraires* de París y de *La Gaceta Literaria* de Madrid, que llenaba una función positiva. Los cubanos de mi generación tenían sus voceros autorizados en la lujosa revista *Social* y en *La Revista de Avance*, de la que fuimos uno de sus fundadores. *Amauta*, la revista peruana, nos traía noticias de la otra banda del continente, en tanto que Chile estaba presente en varias publicaciones de calidad. Y, lo que es más importante, dichas revistas circulaban, independientemente de los envíos personales: se hallaban en las librerías, podían adquirirse en todas partes. Muchos artículos o ensayos, publicados originalmente en La Habana o en Caracas, eran reproducidos en otros países, llegando a verse, bajo distintos aspectos, en cinco o seis revistas de América Latina.

Se me dirá que México tiene, en la actualidad, excelentes revistas literarias –más importantes, como es el caso de *Cuadernos Americanos*, que las de antaño. Se me dirá que en La Habana se publica la magnífica revista *Orígenes*; que *Sur* de Buenos Aires se mantiene en pie al cabo de veinticinco años de vida; que las revistas venezolanas son más numerosas y mejores que las de otros tiempos. Esto no se pone en duda. Pero es evidente que muchas de ellas tienen una limitada circulación en el continente, alcanzando un menor número de lectores. Podrían visitarse muchas librerías sin encontrar un número de *Sur*. En cuanto a *Orígenes*, el esfuerzo de buscarla sería vano. Del Perú y Chile poco sabemos. Sólo México ha logrado, con *Cuadernos Americanos*, una distribución satisfactoria... Lo cual no significa una intensificación de los intercambios culturales entre las naciones de nuestro continente.

MISTERIO DE ARTE INDÍGENA

El eminente etnólogo Claude Lévi-Strauss acaba de publicar un magnífico estudio acerca de la civilización y cultura material de ciertas tribus indígenas de Brasil... En uno de los capítulos de su trabajo consagra varias páginas a las pinturas con las cuales los indios mbayás –cuyos pueblos fueron florecientes en el pasado, pero que hoy se encuentran en vías de extinción– adornan sus cuerpos. Esas pinturas se realizan de acuerdo con un procedimiento análogo al que puede observarse en las tribus piaroas del territorio Amazonas. Se trata, nos dice, «de arabescos asimétricos, alternando con motivos de una geometría muy sutil». Pero lo que intriga al etnólogo es una cuestión mucho más apasionante y misteriosa que su factura actual.

«El primero en describir esos dibujos –nos advierte– fue el misionero Sánchez Labrador, que vivió entre esos indios de 1760 a 1770. Pero para ver sus reproducciones exactas tuvimos que esperar hasta los tiempos de Boggiani»– o sea, hasta fines del siglo pasado. En 1935, Lévi-Strauss visita una aldea mbayá y ve a las mujeres en la confección de los mismos dibujos: «primero me había propuesto fotografiar sus semblantes, pero las exigencias financieras de las hermosas de la tribu hubieran acabado muy pronto con mis recursos económicos. Traté, pues, de lograr que las mujeres trazaran sobre hojas de papel los dibujos que me interesaban: el éxito de ese procedimiento fue tan extraordinario que pronto renuncié a mis propios apuntes». La verdad es que las indias se servían del lápiz y del papel –cosas desconocidas para ellas– con tanta seguridad como si se tratara de pintar sobre rostros humanos o sobre pieles. «Cuál no sería mi sorpresa –prosigue Lévi-Strauss– al recibir, hace dos años, una publicación ilustrada en que se reproducían otros dibujos, recogidos por un colega brasileño quince años más tarde. No solamente parecían esos documentos de una ejecución tan segura como los míos, sino que, en casi todos los casos, el estilo, la técnica, la inspiración habían permanecido inmutables, como había ocurrido durante los cuarenta años transcurridos entre la visita de Boggiani y la mía. Ese espíritu conservador es tanto más notable, en ese dominio, si pensamos que no se extiende a la alfarería, la cual, según los últimos documentos publicados, ha entrado en plena degeneración»...

Ante la seguridad de mano demostrada por las informadoras indias, ante la real belleza y sabiduría de los dibujos recogidos, ante la permanencia de sus motivos y la siempre renovada exactitud de su trazado, Lévi-Strauss queda meditabundo: «Ni yo ni mis sucesores hemos logrado penetrar en la teoría subyacente a esa estilística indígena. Puede ser que procedan sobre la base de un conocimiento empírico, transmitido de generación en generación; o que guarden silencio al respecto, invocando la ignorancia o el olvido, cuando se les interroga, para mantener el secreto en torno al arcano de su arte»... Pero el hecho es que toda una estética rige esa forma, a la vez primitiva y refinada, del sentido plástico. Una estética inmovilizada en un estadio de perfección evidente. ¿Cómo nació ese arte? ¿Cómo se crearon sus cánones? ¿Por qué responde a un concepto más geométrico que figurativo? ¿Por qué las mujeres lo dominan de tan perfecta manera, sin vacilación, sin equivocarse nunca en su trazado? Misterio. Pero el caso es que las mismas preguntas hubieran podido ser formuladas por un hombre que sólo conociera el Partenón como muestra de la arquitectura griega. Porque los mbayás no llegaron, de un solo tranco inicial, a lo que constituye su arte actual. Hubo nacimiento, evolución y fijación. En suma: la trayectoria de toda una estética, semejante a la trayectoria de cualquier otra estética conocida.

Lo cual demuestra que el pensamiento colectivo de cualquier pueblo de los mal llamados «primitivos» o «salvajes» procede de acuerdo con leyes universales que son comunes a todos los hombres.

PAUL RIVET Y LOS MAYAS

Paul Rivet, el eminente americanista francés, bien conocido por los estudiosos de nuestro continente, acaba de entregarnos el fruto de toda una vida consagrada al estudio de la civilización y de la cultura maya... Y si bien es cierto que sus famosos trabajos acerca del origen del hombre americano pueden haberle distraído por momentos de esta vasta labor, la investigación llevada en torno al imperio que tuvo sus centros en la península de Yucatán y en Honduras constituyó siempre, para él, una actividad capital. Hace ya más de treinta años se hacía ayudar por Miguel Ángel Asturias para realizar una traducción del *Popol-Vuh*, texto fundamental de la cultura quiché, antes de proseguir su indagación en México, durante la pasada guerra, sobre el terreno mismo donde se alzaban las ruinas clave. Ahora, luego de la publicación por el Fondo de Cultura Económica de una historia del Imperio Maya, escrita por el catedrático norteamericano Vaillant, se nos ofrece el primer estudio exhaustivo de la cuestión, a la luz de los descubrimientos más recientes de la arqueología mexicana, y contándose con la preciosa ayuda de ciento cincuenta inscripciones recientemente descifradas.

La cultura maya planteó siempre un angustioso misterio: el de las causas de la decadencia del Antiguo Imperio, iniciada hacia el año 830 de nuestra era, y que resultaban poco menos que inexplicables (emparejándose por enigmas paralelos, con la desaparición de la civilización de Ankor-Vat, en Indochina). Algunos investigadores habían emitido la hipótesis de un terremoto, hecho poco probable; otros hablaron de variaciones climáticas, de guerras intestinas, de hostilidades promovidas por pueblos más combativos o mejor armados –teniéndose en cuenta que la civilización maya fue eminentemente pacífica y, por lo mismo, muy vulnerable. Para Paul Rivet, la explicación es sumamente sencilla y nos sitúa ante un problema de economía agraria contemplado recientemente en muchos países del continente, y con particular atención en Venezuela. Para el eminente americanista, la decadencia del Antiguo Imperio se debió, simplemente, al sistema de las «quemas», instaurado por la agricultura aborigen. Sistema consistente –bien lo sabemos– en «incendiar la vegetación al final de la estación de sequía y en sembrar sobre las cenizas al comienzo de la estación de lluvias». Esto habría motivado un progresivo empobrecimiento de las tierras, incapaces, a partir de cierta época, de abastecer de productos del suelo a una población más numerosa, en ciertas ciudades, que las de muchas capitales europeas por la misma época.

El Nuevo Imperio, que habría de desintegrarse en una serie de estados pequeños, luego de la hegemonía de Mayapán, hacia el año 1421, asistió al nacimiento de nuevos centros religiosos y políticos que alcanzarían a tener, como fue el caso de Chichen-Itzá, más de doscientos mil habitantes. Luego sería la conquista española y la desintegración total de una civilización –como nos dice Rivet–, «distinta de todas las demás civilizaciones precolombinas, creación autónoma y excepcional del genio humano». Pero, si la historia de ese pueblo es en sí apasionante, hallamos también motivos de especial interés en los cuadros que traza el eminente americanista de la vida cotidiana, prácticas religiosas, organización militar, ritos y costumbres de hombres que fueron capaces de crear una arquitectura esplendorosa, una estatuaria que dominaba todas las técnicas y una pintura mural superior a la que se realizaba en Europa en la misma época –cuyas muestras más sorprendentes fueron descubiertas recientemente en las paredes del templo de Bonampak, oculto desde hacía siglos en lo más intrincado de una selva apenas explorada.

El libro de Paul Rivet es una valiosísima contribución a la historia de una cultura de la que muy poco se sabía hace menos de cuarenta años. Cultura excepcional, por lo mismo que era autónoma e ignoraba las corrientes que fueron creando, por estratos sucesivos, a través de los siglos, la cultura de los hombres de la conquista.

EL MÁGICO LUGAR DE TEOTIHUACÁN

Usando un término que tiene una nobilísima resonancia en su idioma, los franceses han dado en llamar *hauts lieux* –«altos lugares»– aquellos sitios que el hombre ha sacralizado, ofrendando a la divinidad las mejores obras de su arquitectura y artesanía... Entre los «altos lugares» del mundo, evocadores de religiones muertas, pocos hay, probablemente, que conserven la majestad, la fuerza, la monumentalidad del conjunto de pirámides, templos, residencias, salas y túmulos que pueden admirarse en San Juan Teotihuacán, cerca de México. Veinte veces regresa el visitante a la misma zona arqueológica –donde queda mucho por descubrir todavía– y veinte veces siente la misma emoción ante los restos de aquella ciudad, enteramente consagrada al culto de dioses implacables –ya abandonada por sus sacerdotes cuando llegaron los conquistadores–, donde las formas cobran una inquietante movilidad.

Formas, digo, porque independientemente de las ornamentaciones, de los relieves que enmarcan las enormes cabezas de Quetzalcóatl y Tláloc que se encuentran tras de la Pirámide de los Sacrificios, las edificaciones de San Juan Teotihuacán fueron realizadas en función de la geometría. Y sin embargo, esa geometría resulta desconcertante por los modos de su utilización. Los artesanos que allí trabajaron sabían valerse de la geometría para crear las más singulares ilusiones ópticas, usando, en escala titánica, lo que los franceses –buenos acuñadores de términos felices– llaman el *trompe l'oeuil*, lo que equivaldría a decir: el engañaojos. Hermosas son las pirámides del Sol y de la Luna, evidentemente. Pero ¿por qué no se parecen a las demás pirámides que conocemos? ¿Por qué dan esa rara impresión que avanzan hacia nosotros, de que abultan a medida que nos acercamos, en vez de descansar en la quietud de sus perspectivas cabales? Pronto sabremos que quienes las edificaron, en vez de considerar cada cara de la pirámide como un triángulo entero, quebraron ese triángulo en una serie de secciones horizontales, cuyos costados no son exactamente convergentes. Si prolongáramos cada costado por medio de una recta ascendente, ésta no alcanzaría el vértice de la pirámide sino que pasaría a alguna distancia de él, buscando un vértice invisible, situado mucho más arriba. De ahí un falseamiento de la perspectiva que hacc parecer las pirámides de Teotihuacán mucho más macizas de lo que son en realidad, de ahí esa impresión de que vienen hacia el espectador; de que sus planos crecen para quien se aproxima a ellas.

Otro juego de ilusiones visuales se establece en el Templo de Quetzalcóatl, vasto rectángulo amurallado donde doce túmulos se alzan en los ejes de otras tantas escaleras, pero separados de ellas por la anchura de una plataforma. A medida que se avanza hacia la Pirámide de los Sacrificios, tiene el visitante la impresión de que los túmulos se desplazan, de que giran en torno a él variando continuamente su ubicación. Desde la entrada, se tiene la impresión de que los dos últimos túmulos no tuviesen escalinatas de acceso, pues éstas parecen corresponder a los penúltimos. Cuando andamos un poco más, esa insólita geometría se va ordenando por sí sola, colocando los ejes en su lugar –aunque creando, detrás de nosotros, otras falsas perspectivas... Hay, en todo esto, un concepto de la arquitectura que difiere extrañamente de lo que en la misma época buscaban los artesanos europeos, cada vez más llevados a eliminar el misterio en sus edificaciones.

¡«Alto lugar» por excelencia, es esta sagrada ciudad de Teotihuacán, ignorada, abandonada y oculta, durante tantos siglos, en el mágico altiplano de México!...

LA ASOMBROSA MITLA

Las ruinas de Mitla, situadas a unos cuarenta kilómetros de Oaxaca por la carretera internacional que conduce a Tehuantepec, han sido poco favorecidas por la literatura arqueológica, si las comparamos con San Juan Teotihuacán, Palenque, Chichen-Itzá, y aun con Bonampak, que cuentan ya con una copiosa bibliografía. Maravillado por su revelación, sin embargo, busqué en México alguna obra, estudio importante, álbum de fotografías, consagrados a este sorprendente conjunto de construcciones que escapan totalmente, por su espíritu, a ciertas normas culturales comunes. Recorrí las mejores librerías de la capital, sin hallar lo que pedía. No estoy muy seguro de que el libro solicitado no exista en alguna parte. Pero daba la rara casualidad de que el tomo no aparecía, lo que demostraría en todo caso que tenía poca demanda. Al fin se me señaló una obra del ilustre arqueólogo mexicano don Alfonso Caso, pero, examinando el texto, resultó que trataba de cosas muy ajenas a lo que me interesaba.

Recurriendo a los manuales destinados al turista, me sorprendí al observar en todos ellos una suerte de reserva, de timidez de juicio, en lo que se refiere al estilo arquitectónico-plástico magníficamente afirmado en Mitla. Una relación de 1580, invocada por una pequeña monografía oficial, señala la existencia, en las paredes de los templos, de «labores extrañas, al modo romano» (?). En cuanto al moderno autor de la monografía, apunta que dichas decoraciones son «más preciosistas que arquitecturales, un poco monótonas, pero técnicamente perfectas...». En lo que se refiere a mí, tengo esas decoraciones, precisamente, por representativas de un fenómeno plástico absolutamente único en el mundo, si dejamos de lado cierta ornamentación propia del mundo islámico, determinada por la prohibición original de representar figuras humanas.

El edificio conocido por el Templo de las Columnas, en Mitla, es sencillamente una construcción abstracta, totalmente abstracta en su estética, donde la concepción de todo se ajusta a una suerte de Número Pitagórico. Invoco, claro está, el Número Pitagórico como elemento de comparación y referencia perceptible para nuestro entendimiento. Pero habría que saber por qué proceso de cálculo, de evolución técnica, de profundo refinamiento en el sentido de las texturas y las formas, llegaron los mixtecas a ese Templo-sin-Ídolos, a ese Templo-sin-Imagen, suprema expresión de una larga cultura... Porque el lugar religioso de Mitla existía cuando se edificaban las pirámides del grupo de Monte Albán I –o sea, unos 700 años antes de Cristo. Hubo intercambios culturales constantes entre los zapotecas y los mixtecas, acaso con predominio de los primeros. Según puede verse en el Museo Arqueológico de Oaxaca, los zapotecas comenzaron por tener un arte tosco y recio, en cuanto a la representación de las formas. Y poco a poco se fue refinando su sentido plástico, desembocando en un auténtico barroquismo en la era que viene a corresponder a su época clásica. Mitla, entre tanto, se había desarrollado lentamente, contemplando la evolución zapoteca: tan lentamente que cuando llegaron los conquistadores españoles algunos de sus templos estaban abiertos todavía a los ritos de la vieja religión.

Pero en esos templos se había reaccionado contra el barroquismo zapoteca, llegándose a la suprema serenidad de la ornamentación geométrica; a las salas sin ídolos, sin dioses de barro o de piedra; a la belleza integral de las texturas... Porque algo sumamente importante salta a la vista de quien contempla la fachada principal del Templo de las Columnas. Y es que sus ornamentaciones geométricas no observan la menor simetría en cuanto a la disposición de motivos que, a falta de término más adecuado, la guía de turistas califica de «grecas». Una prodigiosa organización de formas nos propone un tema (auténtico tema musical) que ocupa todo el dintel central. Y este tema es desarrollado –tal es la palabra– en dieciocho tableros donde la motivación plástica inicial es llevada a sus implicaciones extremas... Tal es el prodigio de Mitla, que plantea un problema único en la historia del arte universal: el de una reacción de lo abstracto contra lo barroco.

UNA CONTRIBUCIÓN AMERICANA

Cuando los primeros aeronautas se elevaron en el espacio a bordo de las ornamentadas barquillas del Globo Montgolfier no ignoraban los peligros directos que para ellos entrañaba la ascensión. Pero había uno –el más constante– que les era totalmente ignorado: el de los trastornos ocasionados en el organismo humano por un rápido traslado a grandes altitudes. En efecto: hasta el siglo XVI los hombres ignoraron las montañas. Los antiguos situaban sus Olimpos en los picos nevados, pero nadie tuvo nunca la curiosidad de asomarse a esos Olimpos –¡hubiera valido la pena hacerlo! para saber lo que en ellos ocurría. Las montañas eran admiradas desde abajo. No recuerdo un texto clásico donde se nos narren las peripecias de una ascensión a altas montañas. Corrían leyendas y consejas, por lo demás, que contribuían a descorazonar de antemano a todo posible alpinista: se decía que en lo alto de las sierras moraban genios maléficos; que ciertas emanaciones minerales y vegetales eran mortíferas, o bien que una maldición, una fatalidad, hería de muerte a quien pretendiera ascender a las cumbres.

Nunca hubiese pensado en la importancia que tuvo, científicamente, la Conquista de América para el conocimiento de las montañas y la observación de los fenómenos fisiológicos producidos por la altitud. Cuando se nos habla de las distintas aportaciones de nuestro continente a la cultura universal, se olvida completamente ese capítulo que ahora, en un documentado artículo, acaba de escribir para nosotros un especialista: el sabio francés doctor Paul Chauchard. «Fue un viajero del Renacimiento –nos dice–, el reverendo Padre Acosta, quien por vez primera describió el "mal de montañas", por haberlo padecido en los altiplanos andinos... Fueron, por lo tanto, las exigencias de la Conquista de los imperios de América, las que se situaron en la base de nuestros conocimientos al respecto.» Sabemos que muchos compañeros de Pizarro fueron víctimas del «soroche». Y es hecho cierto que, antes de la Conquista del Perú, el hombre de Europa nunca había tenido ocasión de aventurarse a tales altitudes.

En 1648, Périer, aconsejado por Blas Pascal, cuya prodigiosa inteligencia estaba en todo, asciende a una montaña de Auvernia y observa, por vez primera, que la columna barométrica se modifica con la creciente altitud. Pero los estudios permanecen estacionarios, hasta que La Condamine, Bouger y Godin, encargados de medir el meridiano terrestre, realizan nuevas observaciones en los Andes. Desde entonces, América será un constante terreno de experimentación. Después de las valiosas comprobaciones de Humboldt, el área de trabajo se sitúa en México, donde un médico francés, Jourdanet, estudia el clima de las montañas de modo tan sistemático y minucioso que sus conclusiones, aún perfectamente válidas, llenan una serie de memorias que ven la luz durante catorce años (de 1861 a 1875). Pero esto no era todo: la insensata expedición militar francesa a México, en apoyo del efímero emperador Maximiliano, permite realizar observaciones en masa sobre la resistencia o vulnerabilidad del organismo humano, no habituado a las condiciones climáticas del altiplano.

Así nos encontramos que una serie de nociones que serían indispensables al hombre del futuro para lanzarse definitivamente a la conquista del espacio, comenzaron a adquirirse gracias a la portentosa empresa de los Pizarro y los Almagro... He aquí una contribución de nuestro continente al mejor conocimiento del ser humano que nos muestra, en detalles, el documentado artículo del doctor Paul Chauchard.

EL PARQUE DE LA VENTA

En su último número, la revista *L'Oeuil* consagra un importante artículo, ilustrado con bellas fotos, al Parque de La Venta, creado en Villahermosa por el poeta Carlos Pellicer, donde ahora pueden admirarse las grandes esculturas olmecas, cuyo descubrimiento, realizado en 1943 por el arqueólogo norteamericano Stirling, tuvo una resonancia mundial. En efecto, hasta aquel momento no se sospechaba la existencia de esas gigantescas cabezas de piedra, enterradas en las turberas de Coatzacoalcos, que constituían una extraordinaria novedad dentro del conjunto del arte mexicano. Siempre desprovistas de cuerpos, las enormes esculturas, casi esféricas, surgían del suelo, al cabo de siglos, para mostrarse a los hombres de esta época. Primero se había dicho que la civilización olmeca databa de los primeros años de nuestra era. Pero, al ser sometidos al veredicto del carbono 14, algunos vestigios que hoy pueden verse en el Parque de La Venta revelaron una antigüedad mucho mayor, situando a sus artesanos en el primer milenio antes de Cristo.

«La cultura olmeca –dijo Alfonso Caso, con su inmensa autoridad en la materia– es madre de todas las culturas que luego se desarrollaron en México.» Y Paul Westheim, discípulo del gran Worringer: «La Venta crea las normas y las tendencias que habrán de determinar la actitud estética del hombre precolombino, caracterizada por la aversión a lo puramente descriptivo»... Hoy, Carlos Pellicer ha colocado las cabezas ciclópeas, las máximas tallas y estatuas encontradas hasta ahora, en un jardín acogedor, lleno de exuberantes vegetaciones tropicales, que constituye uno de los más hermosos museos al aire libre que pueden visitarse en América.

¿Y cómo explicar ese culto a los gigantes entre los olmecas, precursores de artes futuras? Se cita al respecto un curioso fragmento de la *Historia de los chichimecas,* escrita poco después de la conquista de México por uno de los descendientes de los reyes de Texcoco, convertido al catolicismo: «Las crónicas más respetables de los tiempos de la idolatría hacen alusión a una Primera Edad que se inició con la Creación. Fue la Edad del Sol de las Aguas. Esa Primera Edad terminó con un diluvio universal que hizo perecer a todos los hombres y a todas las criaturas. La Segunda Edad, la del Sol de la Tierra, terminó con un terrible terremoto. Se abrió el suelo; las montañas se abismaron o desplomaron, matando a casi todos los hombres. Fue esa Segunda Edad un reinado de gigantes, seguida de la Tercera Edad, la del Sol del Aire, que terminó en un viento tremendo por el cual fueron derribados los árboles, los edificios y hasta las rocas. Durante este tercer período, vivían ya los olmecas. Según se ve en sus historias, eran hombres venidos del Oriente, en naves y canoas, que se habían instalado en las orillas del río Atoyac. Allí encontraron a algunos de los gigantes de la Segunda Edad, que habían escapado a la destrucción de los seres vivos. Éstos, orgullosos de su fuerza, sometieron a los recién llegados a una servidumbre atroz. Los hombres, para deshacerse de ellos, los invitaron a un gran banquete, los embriagaron y los asesinaron con sus propias armas...»

¡Otra vez el Diluvio Universal! ¡Otra vez el reinado de los gigantes! Dos elementos míticos que se encuentran en todas las leyendas cosmogónicas de Asia, de la cuenca mediterránea, de América. Gigantes sabios o gigantes terribles, que acaban por ceder la Tierra a los hombres, luego de haberlos instruido o de haberlos hecho padecer. Gigantes adorados acaso por los olmecas... Tan tenaz es el mito en la memoria de los hombres que nos dejamos llevar por la imaginación hacia las fascinantes, aunque peligrosas, hipótesis emitidas hace algún tiempo por el malogrado Denis Saurat, en su poético e inquietante libro: *La Atlántida y el reinado de los gigantes.*

DOS TEMAS DE CONTROVERSIA

Dos investigaciones, una de tipo histórico, realizada en América; otra de orden arqueológico, efectuada en China, son objeto actualmente de múltiples comentarios. La primera se refiere concretamente al descubrimiento de nuestro continente... Todos dábamos por una verdad incontestable que Cristóbal Colón, en su primer viaje, había arribado a la isla de Guanahaní, llamada de San Salvador por el Almirante, conocida hoy por isla de Watling. Pues bien: por encargo del Smithsonian Institute dos geógrafos norteamericanos, Edwin Link y Smith Peterson –particularmente versados, además, en la historia de la navegación a vela–, realizaron un largo viaje de investigación por el mar Caribe, siguiendo los rumbos de Colón. Al llegar a la isla de Watling, tuvieron la sorpresa de observar que sus características eran enteramente diferentes de las que el Descubridor pormenorizara en sus Cartas de Relación. Algo descorazonados por una duda que no se esperaban ver surgir en su ruta, Edwin Link y Smith Peterson prosiguieron su navegación hacia el Sur-Este, llegaron a la isla del Gran Caico, situada a unos cuatrocientos kilómetros de la antigua Guanahaní.

Súbitamente, el paisaje contemplado empezó a corresponder, punto por punto, con las descripciones de Colón. Se trataba de una isla plana, muy boscosa, con agua en abundancia, rodeada de islotes, de arrecifes, cuya presencia había señalado el Descubridor... Completando sus observaciones con el cotejo de distintos documentos marítimos, Edwin Link y Smith Peterson presentaron un detallado estudio al Smithsonian Institute, desarrollando una tesis que ha sido aceptada, totalmente, por la ilustre fundación... De acuerdo con ella, pues, Colón pisó el suelo de América por vez primera en la isla del Gran Caico y no en la isla de Guanahaní. Y como todo lo que se refiere al Gran Almirante es siempre sujeto a apasionadas controversias, he aquí un buen tema para discusiones que no tardarán en producirse en España y en las dos Américas.

Otra investigación que está promoviendo algunas polémicas es la realizada por un arqueólogo chino, el profesor Tschi-Pen-Lao de la Universidad de Pekín, en un valle situado en las montañas del Yunán, y en una isla del lago Tungfing... Este trabajo tuvo por origen un terremoto, acaecido en 1953, que puso a descubierto una serie de pirámides hasta entonces inmersas, algunas de las cuales miden hasta trescientos metros de alto. Varias pruebas revelaron que esas misteriosas edificaciones fueron levantadas, con fines aún inexplicables, hace la friolera de cuarenta y cinco mil años. Pero esto no era lo más sorprendente: tanto en el valle como en la isla, aparecieron dibujos de una rara elegancia de factura, que representan unos hombres entregados a las más desconcertantes actividades.

En una suerte de pintura rupestre, aparecen personajes armados de enormes trompas, alzadas hacia el cielo. Y en el cielo mismo –es decir: flotando literalmente en la atmósfera– se ven unos cuerpos cilíndricos, tripulados por otros personajes que, a su vez, alzan otras trompas, semejantes a las primeras, aunque de menor tamaño...

Claro está que no faltaron sujetos imaginativos, muy dispuestos a afirmar que aquel pueblo ignorado por la historia hubiese tenido medios de navegación aérea. Pero nos queda el hecho de que, en el lugar de los descubrimientos, floreció una civilización desconocida, cuya cultura material llegó a un alto grado de desarrollo. Lo cual hace retroceder, una vez más, los límites protohistóricos de la vida del hombre en nuestro planeta.

PRESENCIA DE LA NATURALEZA

«Puede desarrollarse un ciclón al este de la Florida»... leíase ayer en nuestro periódico. Y muchos, al tropezar con la palabra «ciclón», no acertarían a figurarse hasta qué punto pueda parecer extraño, a un europeo, eso de oír hablar de ciclones. Cuando Goethe, en una carta famosa, hablaba de la amable naturaleza, «por siempre domada y sosegada» del Viejo Continente, su mente había dejado atrás las eras de los ciclones, y también las de las grandes inundaciones y grandes furias del cielo.

Cuando el Sena crece exageradamente, lo más que pueda ocurrir, en París, es que se inunden dos calles y una plaza aledaña. La peor de las trombas –todavía quedan algunas, allá– no pasa de echar abajo tres o cuatro chimeneas de fábricas... Y es que donde la tala ha clareado las tierras durante siglos, transformando las selvas primitivas en campos de labranza, los ríos se amansan y hasta el cielo cambia de fisonomía. No están abajo, ya, los grandes Laboratorios de la Humedad, para hinchar unas nubes en constante actividad, que de súbito se enfurecen y estallan sobre el espinazo de montañas vírgenes, que aún asumen las funciones de divisorias de las aguas que la Biblia les encomendara en los primeros capítulos del Génesis. El meteoro de Europa es meteoro de pequeñas dimensiones, como hecho para el escenario de Bayreuth. El rayo ha dejado de ser una manifestación de la cólera divina, desde que Benjamin Franklin lo cazara con un pararrayo. Y la lluvia torrencial ha sido substituida, hace tiempo, por la garúa que cala lentamente, por persuasión, a los transeúntes que nada hacen por evitarla, en las calles de sus ciudades...

Ese desencadenamiento de ciclones, cada otoño, en el Caribe, es todavía una presencia, siempre activa, de las pavorosas «tormentas de las Bermudas», citadas por Shakespeare y los dramaturgos del Siglo de Oro español –tormentas que llegaron a hacerse mitos americanos, desde los inicios de la Conquista, como la existencia de las Amazonas o la Fuente de la Eterna Juventud. Y el hecho de que hoy, en 1952, sigamos leyendo los partes meteorológicos que a ellas se refieren, nos demuestra que estamos muy lejos de haber vencido nuestra propia naturaleza, como la habían vencido, amansado, domesticado, los contemporáneos de Goethe.

La Habana acepta, como algo normal, la fatalidad de un ciclón que, cada diez años –en promedio–, habrá de caer sobre la ciudad, causando los consiguientes estragos.

El correspondiente al año 1927 –el anterior se había arrojado de lleno sobre la capital en 1917– dejó una serie de fantasías tremebundas, como marcas de su paso: una casa de campo trasladada, intacta, a varios kilómetros de sus cimientos; goletas sacadas del agua, y dejadas en la esquina de una calle; estatuas de granito, decapitadas de un tajo; coches mortuorios, paseados por el viento a lo largo de plazas y avenidas como guiados por cocheros fantasmas. Y, para colmo, un riel arrancado de una carrilera, levantado en peso, y lanzado sobre el tronco de una palma real con tal violencia que quedó encajado en la madera, como los brazos de una cruz.

Todavía América vive bajo el signo telúrico de las grandes tormentas y de las grandes inundaciones. Habrá siempre algún parte meteorológico, de Miami, de

La Habana, de la isla de Gran Caimán, para recordarnos que nuestra naturaleza no ha llegado todavía a ser tan «amable» ni tan «sosegada» como Goethe hubiera querido que fuera la del mundo entero –a semejanza de su romántica Alemania.

UNA ESTATUA HA HABLADO

Así pues, agarra usted un manual escolar de Historia de América –los hay excelentes, por lo demás– y se encontrará con una serie de categóricas afirmaciones, en lo que se refiere a la antigüedad de las civilizaciones precolombinas. Sabrá, por ejemplo, que Manco Cápac tuvo doce sucesores hasta el momento en que llegaron los españoles; lo que vendría a demostrar que la cultura incaica no era muy antigua. Llevará usted la mirada hacia México, para toparse con este dato acerca del imperio tolteca: «...Lo fundó un pueblo venido del Norte, hacia el siglo IV después de Cristo.» La noción corrientemente aceptada, acerca de los aztecas, mayas, incas, establece que sus civilizaciones se originaron entre los siglos II y V de nuestra era; que su máximo florecimiento vino a situarse hacia el siglo XII, después de lo cual se inició la decadencia. Y cuando ciertos arqueólogos se aventuraron a afirmar, hace algunos años, que la Puerta del Sol de Tiahuanaco podía contarse entre las edificaciones más antiguas de la humanidad, los historiadores tradicionales se encogieron de hombros, dejando entender que tales aseveraciones no pasaban del dominio de la fantasía.

Desgraciadamente para estos últimos, América está asistiendo actualmente a una serie de descubrimientos arqueológicos, bastante sensacionales, que hacen retroceder tremendamente, en el tiempo, los orígenes de las civilizaciones americanas. Primero fue la momia de un inca, vestida de hermosísimos tejidos, que databa de un milenio antes de Cristo. Luego, fueron hallazgos realizados en diversos lugares de México, ruinas sacadas a la luz, tallas gigantescas, encontradas en la selva, estelas, objetos que modificaron sensiblemente ciertas nociones cronológicas aceptadas por buenas hasta el momento presente.

Pero ahora acaba de producirse, en este dominio, un verdadero golpe de teatro. Hacía tiempo que los arqueólogos mexicanos se maravillaban al descubrir la insospechada importancia del arte de los olmecas, que influyeron poderosamente sobre la cultura de Monte Albán, habiendo sido también –según los estudios de Stirling y Caso– los antecesores remotos del arte de Teotihuacán. Algunas estatuas olmecas presentaban un grado de estilización que sólo se logra en las plásticas muy maduras, afianzadas ya en una tradición artística y técnica. Cierta figura de un anciano sentado, con las manos detenidas en el esfuerzo de romper una cuerda, era digna de situarse –conservándose, desde luego, la distancia necesaria entre estilos– junto a las obras maestras de la estatuaria griega.

Pues bien: una estatua olmeca fue enviada recientemente a Chicago, donde existen laboratorios dotados del famoso carbono 14, radiactivo, que permite saber, con pasmosa exactitud, el grado de antigüedad de ciertos materiales, entre los cuales se cuentan los que usaron siempre los escultores. Sometida a la prueba, la estatua olmeca –acaba de declararlo oficialmente el director del Museo Nacional de México– reveló que había sido tallada... 1.457 AÑOS ANTES DE CRISTO. O sea, que ¡quince siglos antes de nuestra era, una gran civilización americana se hallaba en pleno apogeo, en la región de Tlatilco, en México!... Es decir: cuando no podía hablarse aún de una cultura griega.

Acaba uno por preguntarse si la Atlántida de Platón no sería, sencillamente, una América de la que ya hubieran tenido noticias los navegantes de Tartessos.

TIKAL

Transcurría el mes de febrero del año 1696. Habiéndose internado en la selva con el objeto de llevar a cabo un propósito de evangelización, un sacerdote franciscano, el padre Andrés de Avendaño, descubría un conjunto de ruinas impresionantes a unas doscientas millas al norte de la ciudad de Guatemala. Lo que más llamó la atención del misionero fue la inusitada altura de ciertas pirámides, de abruptas vertientes, en cuyas cimas se veían construcciones semejantes a templos. «A pesar de que esas pirámides fuesen sumamente elevadas y muy escasas mis fuerzas, ascendí a una de ellas, pero con gran dificultad», escribiría el sacerdote en su libro de viaje... Por vez primera, un europeo había contemplado las ruinas de Tikal.

No obstante la importancia del descubrimiento, nadie pensó de inmediato en seguir las huellas del padre Andrés de Avendaño. Poco aficionados a los trabajos arqueológicos eran los hombres del siglo XVII. Y menos aún lo serían los del siglo XVIII, que llevaban el desprecio a los vestigios de las civilizaciones desaparecidas hasta el extremo de alquilar los más hermosos templos de Roma para que sirvieran de talleres y viviendas pobres. Nadie volvió a hablar de Tikal hasta el año 1848, en que un coronel del Ejército guatemalteco dio casualmente con las ruinas. Pero éste tampoco propició el inicio de trabajos arqueológicos... Transcurrieron más de cincuenta años, y en 1901, un viajero alemán, Teoberto Maler, descubrió el lugar de Tikal por cuenta propia, ofreciendo una primera descripción –aunque muy incompleta aún– de lo que allí podía contemplarse.

Por fin, en 1950 –o sea, más de dos siglos y medio después del viaje del padre Avendaño– se iniciaron los trabajos que ya han transformado a Tikal en una de las máximas atracciones turísticas de América. Muchas ruinas han sido libradas de la vegetación que las ahogaba. La visita a los altos templos de las pirámides se ha hecho relativamente fácil, y hay medios de comunicación, por vía aérea, que permiten al viajero recorrer la distancia de Guatemala a Tikal en cincuenta minutos... De año en año se hicieron descubrimientos más importantes en aquella enigmática ciudad, cuyos orígenes se remontan a 1.500 años antes de Cristo y cuya cultura alcanzó su máximo florecimiento entre los años 300 y 900 de nuestra era. Después, conforme al misterioso destino de otros centros religiosos y políticos del pueblo maya, la ciudad de Tikal fue abandonada por sus habitantes.

Pero, en este caso, intervino la violencia. Los arqueólogos descubrieron estelas, esculturas, edificaciones que ostentan las huellas de una destrucción voluntaria. Se supone –y esto, por ahora, es mera hipótesis– que Tikal, en determinado momento, asistió a una sublevación popular contra la casta sacerdotal o nobiliaria. Por lo demás, la gente de Tikal estaba en contacto con las poblaciones de la costa, deduciéndose este hecho de la gran cantidad de caracoles marítimos encontrados en las ruinas. Se hallaron, por otra parte, magníficos objetos tallados en obsidiana y jade, así como huesos humanos, reveladores de que los sacerdotes de Tikal realizaban cruentos sacrificios.

Si bien podemos contemplar en el presente algunas de las edificaciones más impresionantes y elevadas que nos haya dejado la civilización maya, ignoramos todo lo que concierne a la historia de Tikal. Un largo capítulo de la historia del hombre en el nuevo continente permanece en el misterio. ¿Y cuánto nos falta por saber, por descubrir, todavía, en el área de una cultura que se afirma, en cada nuevo hallazgo arqueológico, como una de las más ricas y completas que haya conocido la humanidad? ¡Cuántas revelaciones no nos reserva, aún, la portentosa arqueología americana!...

EL ÁNGEL DE LAS MARACAS

Lo que la música moderna debe a América Latina

Un día del año 1608 cunde, en la ciudad cubana de Bayamo, una terrible noticia: el muy querido obispo Fray Juan de las Cabezas Altamirano ha sido secuestrado por el pirata francés Gilberto Girón, merodeador de costas antillanas, con el propósito de poner su libertad a precio.

Animosos, sin dejarse intimidar por una exigencia de dineros o de joyas, se forman en milicia los vecinos de la villa, y salen a rescatar al cautivo, llevando consigo a un Salvador Golomón, negro esclavo. Ármase el combate, y Golomón, retando al pirata a duelo singular, le tumba la cabeza de un machetazo certero. Huyen los forbantes y regresan los triunfadores, jubilosos, en medio de fiestas y regocijos.

Se da un motete a la gloria del obispo liberado en la iglesia de Bayamo –motete expresamente compuesto para la ocasión por un capellán, versado en arte de contrapunto–, sacan los vecinos sus vihuelas y rabeles, sus zampoñas y violincillos, y hay un magnífico baile donde no sólo suenan los instrumentos de Europa sino que se percuten tambores africanos, se tocan maracas y claves, y hasta aparecen algunos instrumentos indios –aborígenes por lo tanto–, entre los cuales figura uno llamado «tipinagua»...

Un vecino de la población, Silvestre de Balboa (¿1564-1634?), contempla el espectáculo y, llevado por una magnífica inspiración poética, escribe las épicas estrofas de un *Espejo de paciencia* que no sólo habría de ser uno de los primeros grandes textos de la literatura latinoamericana (poema cuyo héroe, por vez primera, es *un negro*, contemplado admirativamente, así lo quiso el autor, por todos los dioses de la mitología griega...), sino que constituye la primera crónica de un concierto religioso y profano que reúne todos los elementos sonoros que habrán de caracterizar la futura música del Continente, música que, tanto en sus expresiones cultas como en las populares y folclóricas, irrumpirá, por dinamismo propio, a comienzos de este siglo, en el panorama de la música universal.

Cuando Hernán Cortés avista las costas de México, nos cuenta su compañero de empresas y futuro historiador Bernal Díaz del Castillo que el Conquistador, pidiendo «ventura en armas», cita un romance del «Ciclo de Carlomagno», romance que el autor del presente artículo tuvo la inesperada emoción de hallar, hace pocos años, en boca de un poeta popular venezolano –analfabeto por añadidura– de la región de Barlovento, que lo había recibido por tradición oral.

En días de nuestra infancia, las niñas de Cuba cantaban todavía, bailando la rueda, el raro romance de la Delgadina, desventurada doncella maltratada «por un perro moro y una madre renegada» –lo cual nos revela la ascendencia medioeval de un canto anterior a la Reconquista del Reino de Granada, cuya increíble difusión en toda América Latina estudió muy acuciosamente el insigne Ramón Menéndez Pidal.

Conocemos los nombres de los músicos –vihuelistas y cantores– que acompañaron a Hernán Cortés en su fabulosa aventura. Sabemos de un Juan de San Pedro, trompeta, músico de la corte de Carlos V, que se trasladó a Venezuela en los primeros años del siglo XVI. En la década de 1530-1540 sonaba ya un pequeño órgano portátil (de los que entonces llamaban «órganos de palo», es decir, de madera, en italiano *organo di legno*) en la primitiva catedral de Santiago de Cuba.

Y sabemos además –sobran informaciones acerca de ello– que los primeros evangelizadores del Nuevo Mundo se aplicaron, muy inteligentemente, a adaptar palabras alusivas al culto cristiano –loas a la Virgen, textos litúrgicos...– a las melodías que encontraron en boca de los indios colonizados, realizando con ello una primera simbiosis de culturas que nunca habían estado en presencia.

De ahí al gran concierto religioso-profano descrito por el poeta Silvestre de Balboa, sólo había un paso. Pero ahora –y ya esto se observa en el *Espejo de paciencia*– lo religioso y lo profano toman caminos distintos del mismo modo que, en la Europa de entonces, coexistían una música culta y una música popular.

Lo religioso, con el alzamiento de catedrales que empiezan a ser catedrales de verdad, toma el camino de México, de Morelia, de Lima, donde empieza a desarrollarse un arte polifónico muy docto en el manejo de la técnica, que nos ofrece obras de carácter litúrgico sumamente apreciables. Las iglesias se vuelven verdaderos conservatorios: en ellas se cantan las mejores páginas de Guerrero y de Morales (México); más tarde, de Porpora y Marcello (Cuba), y de Pergolese, cuyo *Stabat Mater* conoció, en todo el Continente, un éxito de *best-seller*, influenciando poderosamente a muchos de nuestros compositores.

Y así, en lo religioso, se alcanza el siglo XVIII en que, con una evidente información de lo que en Europa ocurría, pasan los maestros de una polifonía austera a un estilo armónico que trata de avenirse con las innovaciones estéticas de la época. Se sueltan las manos. Se conocen interpretaciones musicales que ya exigen un cierto virtuosismo por parte del ejecutante. Hay fantasía y hay mayor atención al diseño melódico. Y después de las normas estrictas es el aire de una Italia nueva, liberada de una cierta escolástica sonora, que viene a ser representada en Argentina por el florentino Domenico Zipoli (1688-1726), el cual desempeñó el oficio de organista en Córdoba, trayendo, con las partituras muy estudiadas por nuestros maestros de capilla, nuevos modelos y técnicas a la música de iglesia.

De esto deriva la obra extraordinaria del cubano Esteban Salas (1725-1803), maestro de capilla de la Catedral de Santiago de Cuba que, junto con misas, motetes, lecciones, etcétera, basados en textos latinos, nos dejó cerca de un centenar de «villancicos», para voces, dos partes de violines y bajo continuo, que tienen la singular característica –muy excepcional en la época– de haber sido compuestos sobre versos algo ingenuos, pero siempre frescos y graciosos, escritos en lengua castellana, lo que era muy raro en la época. (El más antiguo villancico de Salas que haya llegado a nuestras manos data de 1783.)

Entretanto, se desarrollaba lo popular: de la simbiosis, amalgama, del Romancero español, de los tambores africanos, de los instrumentos autóctonos, nacían aquellas «endemoniadas zarabandas de Indias» mentadas por Cervantes y otros grandes autores clásicos españoles. Lope de Vega y Góngora se hacen eco de lo mismo. Se bailaba en los puertos de La Habana, de Cartagena de Indias; se bailaba en Portobello, en Veracruz, en Panamá –«viene de Panamá», dice Lope de Vega al describir un son, lo que suena, sonare, sonata, que figura en su teatro.

Y ahí se mezclaban los ritmos negros con las melodías del romance y la póstuma presencia de «las sonajeras indias», como las llamaban los cronistas, amaridándose con las *claves*, las *maracas*, los *bongoes*, los tambores diversos, los instrumentos de percusión normal, de entrechoque, de sonido ideofónico, que hallan su expresión más completa, sublimada, en las prodigiosas «batucadas» brasileñas, donde se reúnen conjuntos rítmicos en acción, inspirados, disparados, que habrían de ser estudiados con provecho por grupos modernos interesados en tales medios expresivos, como el de los «Percusionistas de Estrasburgo», cuyos discos conocen la mayor difusión.

De repente, Bizet, en *Carmen*, escribe una «Habanera», y la palabra «habanera» –música de La Habana, desde luego– se instala en el vocabulario musical. Debussy, en su *Noche en Granada*, escribe una pieza en ritmo de habanera. Ravel utiliza el mismo en el tercer tiempo de su *Rapsodia española*. Erik Satie se entretiene también en escribir una habanera para sus *Suites auriculaires*.

Pero esto no es todo: Darius Milhaud, a su regreso de Río de Janeiro, adonde fue en misión diplomática acompañando a Claudel, compone sus *Saudades do Brasil* para piano, donde se inspira en toda la rítmica folclórica brasilera –y lo cuenta en sus *Memorias*– aprendida con pianistas populares que, en su tiempo de vida carioca, tocaban en la entrada de los cines de la avenida de Río Branco. Vuelto a Francia, el compositor escribe *El hombre y su deseo*, ballet con libreto de Claudel, inspirado en la fuerza, en los misterios de la selva americana, donde moviliza un tremendo aparato de percusión cuyas posibilidades expresivas le son reveladas por lo escuchado en el Nuevo Continente. También empleará ritmos cubanos en una «Obertura» sinfónica.

Años después, Edgar Varèse, tan justamente admirado en estos días como genio precursor, habría de estudiar la gráfica de ciertos instrumentos latinoamericanos en las obras de su entrañable amigo, el brasileño Heitor Villa-Lobos, y de los cubanos Caturla y Roldán, para escribir obras –como *Ionización*– que han pasado a ser clásicas en el mundo de las nuevas tendencias de la música.

Volviendo atrás, hacia la música culta latinoamericana propiamente dicha, vemos que ésta, influida directa o indirectamente por el empuje de lo popular, por la inspiración de intérpretes, cantantes e instrumentistas que en las ciudades y los campos inventaban sus propias expresiones, siente como una necesidad entrañable, visceral, de adquirir caracteres propios, al mismo tiempo que, en las calles, en los bailes de las ciudades, se están elaborando unas cosas nuevas que se van llamando: el tango, la rumba, la conga, etcétera, y habrían de invadir el mundo en el siglo XX, al igual que el jazz norteamericano.

Esto empieza a tener una cierta influencia sobre la obra de músicos formados en conservatorios. Puesto que la ópera, de factura romántica, meyerbeeriana, verdiana sobre todo, triunfaba en Europa, era necesario escribir óperas, pero óperas que fuesen marcadamente nacionalistas, si no por el contenido, al menos por el asunto. Y se hicieron óperas en México, en Venezuela, en Cuba, con muy buenas intenciones –temas nobles, un tanto históricos, o basados en leyendas patrias–, sin que ninguna de ellas alcanzara en fin de cuentas el nivel de las del brasileño Carlos Gómez (1836-1896), cuyo *Guaraní* (su obertura y su ballet compiten ventajosamente con lo mejor que en su tiempo en tal terreno se hacía) nos queda como un auténtico clásico de la música romántica latinoamericana, sin que obras de inspiración similar, hechas después en nuestro continente, logren igualársele en cuanto a eficiencia dramático-musical.

Plantéase entonces, al abrirse el siglo XX, a nuestros compositores un problema que es muy semejante al que conocieron los músicos rusos de una época bastante reciente: llegando tarde al escenario de la música universal, sin antecedentes cultos que no fuesen los del canto litúrgico o religioso, pero dotados, por derecho, de una tradición popular sumamente fuerte, hacia ella se volvieron. En ella encontraron el acento propio –como Glinka, como Mussorgski, en Rusia; como Smétana, en su patria checa–; y de ahí que los músicos latinoamericanos surgidos después del 1900, es decir, maduros hacia los años veinte, se volvieron hacia su folclore.

Hacia el folclore, la explotación de las riquezas folclóricas, de los ritmos, de las melodías populares se orientan –como poniendo los ojos en una misma brújula– en Cuba, los Amadeo Roldán (1900-1939) y Alejandro García Caturla (1906-1940), en México, Silvestre Revueltas (1899-1940) y Carlos Chávez (nacido en 1899), en Argentina, Juan José Castro (1895-1968), en Venezuela, Juan Bautista Plaza (1898-1965), y no quiero alargar la lista con nombres cuya enumeración válida nos llevaría a hacer un artículo de diccionario. Pero obsérvese la sincronización de fechas, puesto que resulta reveladora...

Cabe decir, sin embargo –y esto es lo más importante–, que si se estudia la trayectoria de estos músicos se observará que, partiendo de un concepto nacionalista-folclórico, tendieron todos (como pasó con Manuel de Falla en España, con Bartók en Hungría) a liberarse del «documento», del tema recogido a punta de lápiz en holgorios y fiestas populares, para llegar a una expresión propia, acaso nacional por el acento, pero nacida, diríamos, *de adentro afuera*.

Y aquí viene el caso hablar, por fin, del más genial, del más extraordinario, del más universal de los compositores latinoamericanos de este siglo: el brasileño Heitor Villa-Lobos (1887-1959) cuyas obras, digan lo que digan sus muy pocos detractores actuales, se tocan constantemente en conciertos, emisiones radiofónicas y televisadas de Europa y América –y esto se puede comprobar por un simple examen de los programas musicales publicados en periódicos y revistas. Previendo acaso que la guitarra se iba a transformar en un instrumento de multitudinaria utilización en estos días, Villa-Lobos escribió unos *Preludios* y unos *Estudios* que son para los guitarristas de hoy lo que han sido para los pianistas de siempre los *Preludios* y *Fugas del Clave bien temperado* de Bach. Un texto fundamental, necesario, ineludible que, además de sus planteamientos técnicos, se traduce en alto mensaje musical. Del mismo modo, su edición discográfica se enriquece de día en día.

Junto a alguna creación menor –acaso el músico componía demasiado– subsisten, como partituras ya clásicas, esas obras maestras, totalmente maestras, que son las *Bachianas N.º 1* (para violoncelos), *N.º 5* (para voz y orquesta), el prodigioso *Choros* 7 (para pequeño conjunto de cámara), los *Cuartetos 5* y *6*, y obras para todos los instrumentos y combinaciones orquestales posibles que, en vez de pasar a las penumbras de archivos y diccionarios de musicología, conservan una vida propia, muerto su autor, y actúan, en el ámbito de la música, como presencia activa de América Latina.

Hacia el año 1928 tuvimos oportunidad de entrevistar a Heitor Villa-Lobos. Le preguntamos lo que pensaba del folclore musical. «El folclore soy yo», contestó el músico dándonos toda una preceptiva composicional latinoamericana. Desde entonces, los instrumentos, los ritmos nuestros se incorporan a las orquestas modernas. Hay que sumarlos al arsenal de agentes percusivos previstos en sus tratados de instrumentación por Berlioz y Rimski. No los ignoran los Messiaen, los Boulez, los representantes más calificados de la música contemporánea, como no los ignoraron, en su momento, los Milhaud, los Edgar Varèse. Forman parte de la gramática, de la sintaxis, de la fonética de todo compositor moderno.

Y al recordar la frase de Villa-Lobos: «El folclore soy yo», pienso en un pórtico labrado que puede verse en la entrada de un santuario de Misiones, en Argentina: en él aparece dentro del *concierto místico* tradicional de laúdes, arpas y tiorbas, un ángel tocando maracas. Un *Ángel maraquero*... Nos parece que en esa escultura –ángel eterno, maraca de nuestras tierras– se encuentra resumida, en genio y figura, toda la historia de la música latinoamericana desde la Conquista hasta las búsquedas que ahora realizan, en terrenos aún riesgosos pero abiertos a nuevas posibilidades, los compositores jóvenes de este Nuevo Mundo que, en fin de cuentas, por sus tradiciones, por sus herencias, por lo recibido, asimilado y transformado, resulta tan viejo y maduro como los demás mundos del Mundo.

CÓMO EL NEGRO SE VOLVIÓ CRIOLLO

La huella de África en todo un continente

En 1441, diez nativos del norte de Guinea son llevados a Portugal, como «presente» hecho al rey Enrique el Navegante por un comerciante y viajero, Antam Gonçálvez, quien los traía a título de mera curiosidad exótica, como hubiese podido traer papagayos o plantas raras del Trópico. Pero muy pronto –¡demasiado pronto!– entendieron los hombres de Europa que esas «rarezas tropicales» podrían constituirse en formidables fuerzas de trabajo y ya, tres años más tarde, eran doscientos treinta y cinco africanos, entre hombres, mujeres y niños, los que fueron llevados por la fuerza a Portugal –«para la salvación de sus almas, hasta entonces irremisiblemente perdidas», nos aclara un piadoso cronista.

Y así fue como muy pronto, en los palacios y haciendas de ricos señores, aparecieron, para realizar faenas domésticas y agrícolas, esclavos negros en número cada vez mayor. Se había instaurado ya, por lo tanto, el abominable negocio de la trata que ahora cobraría proporciones pavorosas con el descubrimiento de América. Y ese negocio quedaría *oficializado*, por así decirlo, con la autorización dada por Carlos V, en 1518, para que cuatro mil esclavos africanos fuesen llevados a la isla Española (Santo Domingo), Cuba, Jamaica y Puerto Rico.

Pero antes de esa fecha la costumbre de utilizar esclavos negros se había generalizado en España, a imitación de Portugal (y Cervantes nos hablará de ellos, cien años más tarde, en sus *Novelas ejemplares*). Y por ello, muchos negros pasaron al Nuevo Continente –a las Antillas, cuya colonización era ya un hecho– con anterioridad a los años en que la trata quedara establecida como negocio de gran rendimiento.

En la inestimable fuente de documentación demográfica que constituye el *Catálogo de Pasajeros a Indias* de la Casa de la Contratación de Sevilla, en cuyas páginas quedaron los nombres de los primeros solicitantes a trasladarse a «las tierras recién descubiertas del otro lado de la Mar Occeana» [*sic*], se pueden ver los siguientes asientos: «*5 de febrero de 1510, Francisco,* de color negro». (Es el primero de su raza, en fecha, y se inscribe con el número 38.) «*27 de febrero de 1512. Rodrigo de Ovando,* negro horro» (es decir: liberto). «*Abril de 1512. Pedro y Jorge,* esclavos» (viajan con sus amos). «*Agosto de 1512. Cristina,* de color negro, *y su hija Inés*», etcétera, etcétera. Y siguen otros muchos, esclavos, «ahorrados», «loros» (cuando son de tez particularmente oscura), de «color de pera cocha» (cocida), que son los mulatos, sin olvidar, por lo pintoresco del caso, un *Juan Gallego, negro, natural de Pontevedra,* que embarca, no se nos dice si liberto o no, el 10 de noviembre de 1517...

Y ahora, con la instauración en firme de la trata –tanto española como portuguesa–, el número de negros pasados a América crecerá en proporción geométrica, constituyéndose en uno de los elementos étnicos de base de una población que, formada por europeos tempranamente unidos a mujeres indias, enriquecida ahora por la aportación africana, habría de engendrar la clase de los *criollos,* determinante para cuanto se refiera al estudio, interpretación, entendimiento y visión general de la historia de América.

La palabra «criollo» aparece por vez primera en un texto geográfico de Juan López de Velazco, publicado en México en 1571-1574: «Los españoles que pasan a aquellas partes [léase: América] y están en ellas mucho tiempo, con la mutación del cielo y del temperamento de las regiones, no dejan de recibir alguna diferencia en el color y la calidad de sus personas; pero los que nacen en ellas se llaman *criollos*, y aunque en todo son tenidos y habidos por españoles, conocidamente salen ya diferenciados en el color y el tamaño.» En 1608, en un poema escrito en Cuba, Silvestre de Balboa califica de *criollo* a un negro esclavo. Y en 1617 nos dice el Inca Garcilaso de la Vega: «*Criollos* llaman los españoles a los nacidos en el Nuevo Mundo, así sean de padres españoles o africanos.»

Durante un tiempo, barruntándose el peligro que la palabra nueva entrañaba, trató la Corona de España de prohibir su uso en cualquier documento, memoria o escrito legal. Pero la palabra se siguió usando corrientemente para designar una raza de hombres surgida en América y que estaba cobrando características propias, según las regiones y la proporción de ingredientes que hubiesen intervenido en su formación. En las Antillas y en las costas de México, Colombia, Venezuela y Brasil –echándose cabos hacia la cuenca del Misisipi– esa raza sería poderosamente marcada por la presencia africana, dándose el caso de que en ciertas islas del Caribe la población negra fuese más numerosa que la oriunda de Europa.

Hacia 1920, París conoce algo que Cocteau no vacilaría en calificar, alarmado, de «crisis negra». Picasso ha pintado ya en 1907 *Las señoritas de Aviñón*, con evidente influencia de ciertas obras de arte africanas que habían suscitado su entusiasmo, así como el de Matisse, Derain y otros que, como el poeta Apollinaire, se dieron a coleccionar piezas de aquello que empezaron a llamar «arte negro». Las galerías de pintura rebosan de esculturas, tallas, máscaras, objetos procedentes del continente tan mal conocido hasta entonces, tanto en su historia como en sus colisiones creadoras. Porque calificar aquello, en su conjunto, de «arte negro» resultaba tan absurdo como calificar de «arte blanco» lo que pudiese reunirse en un museo delirante donde unas Venus griegas anduviesen revueltas con vírgenes catalanas del siglo XIII, mármoles renacentistas, gárgolas medioevales y móviles de Calder.

Además, tras de la plástica, ha venido toda una tradición oral –una literatura hablada, recitada, salmodiada– en que lo mágico y lo religioso alternan con relatos más o menos épicos, la leyenda cosmogónica, la fábula de animales, el apólogo, el proverbio, la simple narración destinada al entretenimiento o a la edificación de los oyentes –*todo un corpus* literario, reunido aquí, allá, por exploradores y misioneros, y que ahora se recoge en libros de «literatura negra» (negra, como siempre sin distingos de raza ni grado de evolución cultural), cuyo logro mayor es la pronto famosa *Antología* de Blaise Cendrars, traducida a veinte idiomas y que aún no puede hallarse en todas las librerías del mundo.

Pero, puesto que ya hay un «arte negro» y una «literatura negra», se irá ahora en busca de una «música negra». Y ésta no se hace esperar. El jazz hace su entrada arrolladora en Europa al terminarse la Primera Guerra Mundial. Stravinski se entusiasma con esa novedad, como Picasso se había entusiasmado antaño con las máscaras de Dahomey, y compone un *Piano Rag Music* y un *Rag-Time para once instrumentos*. Obra clave del espíritu de la época es el ballet *La creación del mundo* de Darius Milhaud (1923), cuya música se inspira en los ritmos y giros del jazz. El argumento, de Cendrars, se basa en una vieja leyenda cosmogónica africana. Y, como hay que apropiar las decoraciones y los trajes al carácter de la obra, Fernand Léger se aplica a traer a su mundo las formas que le aportan ciertas plásticas del África.

Pero ahí empezaba a producirse un grave malentendido, explicación de muchos errores futuros. Porque no parecían darse cuenta, los entusiastas europeos del jazz, de que los dos primeros grandes éxitos de esa música en Europa se titulaban *Alexander Rag-Time Band* y *Saint Louis Blues* y de que este último era obra de un músico negro de la Nueva Orleans, Christopher Handy, en tanto que el primero era debido a la graciosa inventiva de un compositor que de negro nada tenía: Irving Berlin. Y era porque el jazz, resultante de una larga elaboración, *muy poco tenía que ver ya con el África*. Era un producto criollo, auténticamente criollo, cuyos orígenes eran debidos a un ya remoto mestizaje –mestizaje de un tipo que se empezó a conocer, por vez primera, en América.

Como bien dice Deborah Morgan (*Musique en Jeu*, febrero de 1977), «la historia del jazz comienza en 1619, en el momento en que una fragata holandesa desembarca en Jamestown (Virginia) los primeros negros destinados a trabajar en América del Norte». En efecto, no es el jazz un género musical nacido en los alrededores de 1900, en la Nueva Orleans, como lo pretende la leyenda tenaz, sino que es el resultado de la confrontación, durante tres siglos, de dos comunidades: una, originaria del África, otra, de Europa.

Curioso es observar que la música popular cubana viene a adquirir sus rasgos propios hacia la misma época (inicios del siglo XVII), aunque, desde luego, con muy distintas características. Y, a pesar de parecerse bastante poco al jazz, la música cubana invade el mundo hacia 1930, en tanto que la música brasileña empieza a ser conocida fuera de sus fronteras en vísperas de la Segunda Guerra Mundial. Y es de notar que así como el jazz difiere totalmente de las músicas africanas que conocemos, tampoco se parecen a ellas las músicas cubanas y brasileñas, que hoy podemos escuchar en todas partes, aunque el negro haya contribuido poderosamente, en un lugar o en otro, a su formación y desarrollo.

Pero toda similitud con lo que suena en el continente negro ha desaparecido. El *cha-cha-cha* o el *mambo* de Cuba, la *plena* dominicana, la *biguine* martiniqueña o las *steel-band* de Barbados y Trinidad, la *samba* o la *bossa-nova* del Brasil, como tampoco el *boogie-woogie* y, menos aún, el *free jazz* de Norteamérica, tienen ya nada que ver con los documentos folclóricos musicales que nos vienen del África en grabaciones eruditas o en fidedignas recopilaciones etnográficas.

Y es que, trasplantado, el negro del África se ha vuelto *otra cosa*. Como justamente apunta Franz Fanon, buen conocedor de la materia: «Tanta diferencia hay entre un haitiano y un dakariano como entre un brasileño y un madrileño.»

Pero ahora hemos de considerar un fenómeno que se manifiesta en las actividades creadoras del africano trasplantado en América (Norte o Sur): al ser arrancado del suelo nativo, *parece perder todo sentido plástico*. Es decir que pierde, como escultor, como tallador, como pintor, lo que ahora habrá de ganar como músico. Se opera en él como una transferencia de energías. Y aunque hoy podamos admirar una que otra estatuilla, algún dibujo, salidos de sus manos en Cuba (las *firmas* o símbolos gráficos de los grupos *abakuá*), en Haití (los *vevés* trazados al pie de los altares del rito *vodú*), en el Brasil (las figurillas de hierro forjado de los *candomblés*), nada de esto evoca la fuerza, la originalidad, la maestría técnica de todo un arte dejado atrás y como olvidado en una lejanía cada vez más imprecisa. En cambio, los más grandes compositores de este siglo, tanto en Europa como en América, pueden inspirarse, para escribir obras de altos vuelos, en lo que el negro elabora, con asombroso poder de invención, en las más distintas comarcas del llamado Nuevo Continente.

Esta pérdida evidente del sentido plástico primigenio se explica por el hecho de que la práctica de la escultura, de la talla –o de la pintura ornamental– habría exigido un tiempo destinado a trabajos que poco hubiesen interesado al amo esclavista. No iba el propietario a ofrecer talleres y herramientas a hombres empleados en acrecer sus riquezas con su mano de obra, para que éstos se entregaran al placer de esculpir figuras consideradas como bárbaros ídolos, conservadores de viejas creencias ancestrales, cuyo recuerdo debía extirparse del recuerdo de los sometidos a la talla de los mayorales –y más en una época en que el «hombre civilizado» de Occidente no tenía la menor estimación por aquello que más tarde valorizaría altamente bajo el nombre de folclore.

No. Los intentos de creación plástica del negro eran tenidos por obras del demonio. La música, en cambio, no molestaba mayormente, y los hacendados de Cuba, por ejemplo, permitían a sus esclavos que de tarde en tarde hiciesen sonar sus tambores y se entregaran a la danza, porque con ello demostraban que gozaban de buena salud y que su «carne de ébano» [*sic*] estaba en condiciones de dar un buen rendimiento.

Y, entre tanto, el esclavo oía lo que en torno suyo sonaba. Durante el siglo XVI, primero en su trasplantación en América, se asimiló el romance español, los cantos venidos de Portugal y hasta la contradanza francesa. Conoció nuevos instrumentos musicales, desconocidos en su tierra de origen, y se acostumbró a tocarlos. Y cuando alcanzaba a ser *ahorrado* (o libertado) por un amo más humano que otros –en espera del término de una esclavitud que fue abolida escalonadamente sobre el suelo de América–, se consagró a menudo a la profesión de músico, mezclándose al blanco en virtud de una cierta hermandad de oficio. Como habría de observarlo el cubano José Antonio Saco en 1831: «La música goza de la prerrogativa de mezclar negros y blancos, pues en las orquestas vemos confusamente mezclados a los blancos, pardos y morenos.»

Ya muy alejado de toda raíz africana, el negro de América Latina se hizo un elemento básico, constitutivo, como ya dijimos –al igual que el indio–, de ese *criollo* que habría de marcar los rumbos históricos de todo un Continente, con sus aspiraciones, luchas y rebeldías. Por lo tanto, al incorporarse gradualmente dentro de la sociedad de sus nuevas patrias –lo que le ocurrió con un considerable retraso debido a la esclavitud y, en muchos lugares, a una lamentable situación de hombre discriminado–, el negro fue recuperando poco a poco un sentido poético y un sentido plástico, aparentemente perdidos por él desde hacía varios siglos.

Pero no se trataba ahora, para él, de prolongar del otro lado del Atlántico unas tradiciones ancestrales que no correspondían a las realidades ambientes.* No hablaba ya los idiomas del África, sino las grandes lenguas, con distintas raigambres clásicas, que ahora se ofrecían a su expresión verbal. No sentía la necesidad de hacer revivir viejas narraciones yorubas, de rememorar antiguas leyendas, de regresar a las fuentes de una literatura oral, sino de «hacer poesía» en el cabal sentido del término.

Igual ocurrió con el pintor. Poco tenía éste ya que ver con una plástica concebida, en su medio original, como un complemento de cultos religiosos dejados muy atrás –aunque sincretizados, a veces, en altares consagrados, aparentemente, a santos cristianos. Para él, los problemas plásticos eran los mismos que podían plantearse, en una época dada, al artista de cualquier parte. De ahí que surgieran pintores y escultores negros o mulatos, en América Latina, durante todo el siglo XIX, que en modo alguno recordarán, con sus pinceles o cinceles, las formas y estilizaciones del arte africano.

Igual ocurrió, en la misma época, con la poesía. Y he-

* Podrá argüirse que los núcleos de *abakuá* y la santería en Cuba, el rito de los *Obeah* en Jamaica, el *vodú* de Haití son auténticas pervivencias africanas. Pero puede decirse que tales pervivencias, además de hallarse muy sincretizadas y enriquecidas por pequeños cultos locales, están destinadas a desaparecer antes de pocos años –o a *acriollarse* considerablemente, como ocurre con el panteón del *vodú*, enriquecido por dioses de nueva cosecha como Criminel Petro, Erzulie o Marinette Bois-Cherché. En otras islas de las Antillas, el folclore africano se ha vuelto una atracción para uso del turista, a quien se ofrecen «ceremonias mágicas» y «danzas rituales» a cambio de dólares. Y ya sabemos que cuando un folclore puede comprarse con monedas, ha dejado desde hace tiempo de ser auténtico. Esto, por no hablar de un país como Cuba donde las viejas agrupaciones de *ñáñigos* (suerte de asociaciones secretas de protección mutua) dejan de tener toda razón de ser en un sistema socialista.

mos de añadir que, al propio tiempo, fueron escritores «blancos» (con todo el sentido relativo que pueda tener tal palabra en América Latina) quienes publicaron numerosas novelas de ambiente «negro» –o denunciadoras de las prácticas repugnantes de la esclavitud– en el continente americano.

Sin embargo, nuestra época habría de asistir, de cincuenta años a esta parte, a la aparición de poetas, de pintores, cuya obra presentará características nuevas, debidas a la simbiosis de culturas que propició la historia misma del llamado Nuevo Mundo. Por ello, se ha hablado mucho de «poesía negra», en estas últimas décadas, designándose así una poesía retumbante, percusiva, onomatopéyica, que, para mayor confusión de nociones, era producida a menudo por poetas perfectamente «blancos» como el cubano Emilio Ballagas o el venezolano Manuel Felipe Rugeles.

Esto equivalía a un concepto exótico de *negritud*. Porque la verdad era que, en caso de que una «poesía negra» existiese como tal, más auténtica hubiese sido la que hiciera escuchar una voz de negro oprimido por siglos de esclavitud o de discriminación racial –voz revolucionaria, ante todo, si pensamos que, desde el siglo XVI, el negro siempre estuvo *alzado* contra el amo en algún lugar del Continente, llegando a constituir pequeños estados independientes, en Brasil, en Guayana, en Jamaica, que duraron largos años. El negro de América Latina nunca se resignó a ser esclavo. Son incontables sus sublevaciones y cimarronadas, desde la promovida en Venezuela, en el siglo XVI, por el Negro Miguel, hasta las guerras de independencia de Haití –con la admirable figura de Toussaint Louverture–, precursoras de las grandes guerras de independencia del Continente.

Jamás renunció el negro, en su larga historia americana, a la idea de Libertad –idea alentada por los *criollos* de todas clases y niveles que, al cabo de muchas luchas, se sacudieron el yugo del colonialismo español, portugués, francés o inglés. Pensamiento típicamente *criollo* es el que pone Montesquieu, en 1721, en boca de un negro antillano: «¿Por qué se quiere que yo trabaje para una sociedad a la que yo no quiero pertenecer? ¿Por qué se quiere que yo defienda, a pesar de mí mismo, una organización que se hizo sin contar conmigo?»

Por ser *criollo* y a la vez nutrido por las mejores tradiciones clásicas, un poeta como Nicolás Guillén pudo escribir una poesía que, tomando como base escansional los ritmos del *son* cubano (género musical de por sí tremendamente acriollado), revelaba unas raíces hincadas no ya en el suelo de África, sino en tierras muy cultas, roturadas siglos atrás por Lope de Vega y Góngora, así como por la mexicana sor Juana Inés de la Cruz, cuando esos autores se dieron a escribir lo que llamaban «poemas de negros». Y, por ello, si una poesía puede ser calificada justamente de *criolla* es la de este poeta que no se ha encerrado, por lo demás, en los estrechos límites de un estilo determinado, resultando tan cubano en sus poemas de factura clásica como en los percutientes versos primeros de *Motivos del Son* o de *Sóngoro Cosongo.*

En pintura podríamos citar, en plano paralelo, un cuadro monumental como *La jungla* de Wifredo Lam, síntesis de vegetaciones y formas que pertenecen al ámbito un tanto mágico del Caribe, obras de un pintor mestizo, de sensibilidad auténticamente *criolla*, cuya producción ocupa un lugar privilegiado en el panorama del arte moderno... Y, al propio tiempo, se está produciendo ahora en Venezuela, pequeñas islas de las Antillas y Haití una auténtica escuela de pintores de los llamados «espontáneos» o «primitivos» que está haciendo maravillas desde los años cuarenta. Y esa pintura local es otra aportación a la pintura latinoamericana en su totalidad, sin que en ella aparezcan indicios de una tradición ancestral africana, fuera de una común afición a los colores vivos y alegres, emanación de temperamento más que de idiosincrasia.

De este modo, en el mundo de las Antillas de habla española, y también en las anglófonas y francófonas, se producen actualmente una literatura y una pintura de marcadas características *criollas*, sin que nos pongamos a medir aquí la proporción de los ingredientes raciales malaxados en el conjunto.

Por ello, la aportación del negro al mundo adonde fue llevado, muy a pesar suyo, no consiste en lo que ha dado en llamarse erróneamente «negritud» (¿por qué no hablar, en tal caso, de una «blanquitud»?), sino en algo mucho más trascendental: una sensibilidad que vino a enriquecer la de los hombres con quienes se le había obligado a convivir, comunicándole una nueva energía para manifestarse en dimensión mayor, tanto en lo artístico como en lo histórico, puesto que el criollo de indio y europeo no alcanzó la edad adulta, en América, mientras no contó con la sensibilidad del negro.

De la suma de estas tres razas –con mayor proporción de indios en algunas regiones, en tanto que otras están indeleblemente marcadas por el negro– surgió el hombre que, con sus obras musicales, plásticas, poéticas, novelescas, ha conquistado un lugar de primer plano en el panorama cultural del mundo.

III

EL CARIBE

LA CULTURA DE LOS PUEBLOS QUE HABITAN EN LAS TIERRAS DEL MAR CARIBE

Este mapa, inútil es decirlo, nos muestra el conjunto del área geográfica del Caribe, tanto las islas como los elementos de la tierra firme que lo integran. Cualquier cubano medianamente culto sería capaz con índice seguro de decirnos: pues ahí están las Bahamas, aquí Jamaica, República Dominicana, Haití, Puerto Rico, Trinidad, Curaçao, Aruba, Barbados, Santa Lucía, Saint Kitts, Bonaire, etcétera.

Como vivimos en el Caribe, como pertenecemos al mundo del Caribe, tenemos la impresión así, *a priori*, de que conocemos muy bien el Caribe, y aunque parezca extraño, paradójico, decirlo, es muy probable que los europeos actualmente, con la inmensa corriente turística que está afluyendo hacia las islas del Caribe a través de las agencias de viajes, es muy posible que el europeo conozca mejor ciertas islas del Caribe que nosotros mismos, del mismo modo que muchos habitantes de las islas del Caribe conocen mejor ciertos países de Europa que las islas más próximas al lugar donde han nacido.

Como nuestras islas de las Antillas están situadas en un área geográfica sometida a análogas condiciones de clima y nuestra vegetación tiene bastante semejanza, nos vemos muy llevados a creer que las islas de las Antillas se parecen entre sí más de lo que se parecen en realidad. Porque yo, que he tenido la inmensa fortuna de visitar una gran parte, si no la totalidad, de las islas del Caribe, puedo decirles que algo absolutamente maravilloso, algo que están descubriendo los turistas del mundo entero en este momento, es la diversidad, la singularidad, la originalidad del mundo del Caribe.

La vegetación se parece de una isla a otra, pero no es la misma. Difiere mucho entre unas parcelas de tierra y otras rodeadas por las olas del mismo mar. Además, las hay que tienen las particularidades más singulares, más raras, más características. Veamos, por ejemplo, al Norte: actualmente se está publicando toda una literatura en torno a lo que se ha llamado el «triángulo de las Bermudas», los «ciclones de las Bermudas», las «tempestades de las Bermudas», y de esto hay que decir que Shakespeare habló hace varios siglos ya en una de sus bellas obras, la comedia de *La tempestad*, que ha traído al mundo las figuras inmortales de Próspero y Calibán.

Hablamos de las islas de la Martinica y Guadalupe. Y en las islas de la Martinica y Guadalupe está presente la personalidad histórica de Josefina de Beauharnais, la esposa de Napoleón. E, incluso, esto ha dado lugar a un litigio de tipo histórico sumamente pintoresco y divertido: durante muchos años los historiadores de Martinica y Guadalupe han discutido sobre si la emperatriz Josefina, la futura emperatriz Josefina, había nacido en esta o en la otra isla. Al cabo de muchas investigaciones y de ver muchos documentos se llegó a la conclusión de que la futura emperatriz Josefina había nacido en la Martinica, pero no por ello se dieron por vencidos los historiadores de la Guadalupe, pues dijeron: «La emperatriz Josefina nos pertenece de la misma manera por una razón muy sencilla: si bien nació en la Martinica, fue concebida en Guadalupe.»

Tomemos la isla de Trinidad con la originalidad de su música, con la población hindú que en ella podemos encontrar. Tomemos la pequeña isla de Aruba, situada cerca de Curaçao, isla singularísima, isla que casi no tiene vegetación, isla donde las lavas volcánicas removidas por siglos y siglos de vientos encarnizados han sido esculpidas como verdaderos árboles. En la isla de Aruba casi no hay árboles vegetales, pero hay árboles de piedra, de una extraordinaria belleza, con troncos, con encrespamientos de hojarasca.

Tomemos la isla de Barbados. En Barbados nos encontramos con una suerte de civilización completamente original, una cultura extraordinaria. Barbados nos ha dado prosistas notables, y recuerdo haber leído en Barbados un periódico donde he encontrado uno de los mejores ensayos sobre la Revolución inglesa de Oliver Cromwell. Periódicos redactados de una manera maravillosa, y donde se lleva una vida que tiene sus caracteres propios, incluso en la elección de la gran música clásica que difunden diariamente para la cultura colectiva las estaciones de radio. Creo que es la isla donde más se ha oído la música de Haendel y, en particular, el *Mesías* de Haendel, cuyo famoso coro *Aleluya* sirve de tema a una de las estaciones locales.

Cuba, sabemos ya que fue la primera descubierta, y por ella se introdujo el paisaje de América en la literatura universal.

En la República Dominicana comenzó la colonización propiamente dicha de América. Pero hay más. Hay puntos comunes. Conocemos las fortalezas construidas en el ámbito del Caribe por los ingenieros militares de Felipe II, los Antonelli. Sabemos que varias fortalezas cubanas son obra de los Antonelli. Sabemos que en Cartagena de Indias, en Colombia, hay obras de los Antonelli, pero ignoramos la maravillosa fortaleza construida en las salinas de Araya por los Antonelli, que es un castillo ciclópeo, almenado, dramático, negro, que se yergue como una visión fantástica sobre una tierra tan totalmente blanca –pues se compone casi exclusivamente de sal y arena blanca– que parece una cosa inverosímil, una visión de cuadro surrealista, de cuadro fantástico.

El mundo del Caribe está lleno de personajes universales en la historia y universales en la historia de América. Aquí no solamente nos encontramos con la sombra de la emperatriz Josefina, sino que en una pequeña isla llamada María Galante nació madame de Maintenon, la última esposa de Luis XIV, a la que se debió la funesta revocación del Edicto de Nantes que determinó la expulsión de los protestantes de Francia y el comienzo de una guerra fratricida.

Paulina Bonaparte, en Haití, el mariscal Rochambeau, y no hablemos de los grandes navegantes, corsarios, filibusteros... hombres como Walter Raleigh, el favorito de Isabel I de Inglaterra, que pretendió remontar el Orinoco y, equivocándose, penetró en el Caroní, torciendo el camino, y de esta manera quedó sin poder llevar a Inglaterra las riquezas que él hubiera esperado. Y no hablemos, en fin, de las figuras nuestras, a las que me referiré dentro de unos minutos, que han poblado el ámbito del Caribe durante siglos forjando nuestra historia.

Dentro de esa diversidad extraordinaria pareciera que hay un denominador común. Ese denominador común es el de la música. A las islas de las Antillas hubiese podido aplicárseles aquel nombre que dio el gran clásico del Renacimiento francés, Rabelais, a unas islas que llamó «las Islas Sonantes». Todo suena en las Antillas, todo es sonido. Las Antillas tienen, vuelvo a decirlo, el denominador común de la música. Puede ser la extraordinaria música cubana en su larga evolución, de la que no tengo que hablarles, y que ha invadido el mundo entero; puede ser la plena dominicana, tan parecida y tan distinta, sin embargo, a la música cubana; puede ser el extraordinario, el endiablado calipso de Barbados y de Trinidad; pueden ser las orquestas de *steel-band*, ésas que podríamos llamar no bandas de instrumentos de cobre, sino de instrumentos de acero, en el sentido de que, como ustedes saben, los músicos de las islas de Trinidad y de Barbados, con las tapas de los tambores de gasolina y de petróleo, achichonadas de cierta manera a martillazos, han creado un instrumento de una riqueza de notas, de posibilidades y de expresión tal que están ejecutando en esos instrumentos genuinamente antillanos hasta música de Bach.

Dondequiera que vayamos en las Antillas suena la música. Y no hablemos de las creaciones recientes de las extraordinarias orquestas jamaicanas. No hablemos de las *beguines* de Fort-de-France, de Pointe-à-Pitre, y de la música de Guadalupe y Martinica. No hablemos de las distintas músicas que pueden diversificarse hasta el infinito, conservando, sin embargo, un extraño aire de familia. Está por emprenderse todavía un estudio paralelo y comparativo de la música de las Antillas.

Pero no he venido a hablarles solamente de la música de las Antillas, elemento creativo, elemento creador profundamente vital –no folclore muerto como el de otros países donde el folclore se debe a investigaciones de archivo, sino folclore vivo, por cuanto cambia, se enriquece, se diversifica cada día con nuevas aportaciones, nuevas invenciones, nuevas combinaciones instrumentales. Hay algo, mucho más, que confiere una importancia especial y primordial al Caribe: el Caribe ha desempeñado un papel privilegiado, único, en la historia del continente y del mundo.

En primer lugar, lo dije hace un momento y ustedes lo saben: el descubrimiento del paisaje americano, de la realidad de otras vegetaciones y de otras tierras aparece en el diario de viaje de Cristóbal Colón. Con ese libro de viaje y con las cartas que Cristóbal Colón manda a los Reyes Católicos narrando sus viajes sucesivos, se instala América en las nociones del hombre y cobra el hombre por primera vez una noción cabal del mundo en que vive. Ya conoce su planeta, ya sabe que es redondo, lo va a explorar ahora a sabiendas de adónde va. Por primera vez en la historia sabe él en qué mundo vive.

Este acontecimiento es tan trascendental y tan importante que hemos de decir que es el acontecimiento más importante de la historia. Porque existe en la historia universal un hombre anterior al descubrimiento de América, y un hombre posterior al descubrimiento de América.

Ha sido descubierta América y de repente, por una serie de circunstancias que ustedes conocen, resulta que nuestro suelo, y muy particularmente el suelo caribe, se hace teatro de la primera simbiosis, del primer encuentro registrado en la historia entre tres razas que, como tales, no se habían encontrado nunca: la blanca de Europa, la india de América, que era una novedad total, y la africana que, si bien era conocida por Europa, era desconocida totalmente del lado acá del Atlántico. Por lo tanto, una simbiosis monumental de tres razas de una importancia extraordinaria por su riqueza y su posibilidad de aportaciones culturales y que habría de crear una civilización enteramente original.

Ahora bien, apenas se ha llevado a cabo el descubrimiento y empieza a conocerse este Nuevo Mundo, como le llamaban, se produce un elemento negativo, que va a ser compensado con un elemento positivo.

Pero empecemos por el elemento negativo: la noción de coloniaje nace con el descubrimiento de América. Ya se sabe que antes de venir a la América los españoles, esos otros navegantes extraordinarios que fueron los portugueses habían llegado a los confines del Asia, habían explorado lo que llamaban «las islas de las especias». Pero esos navegantes, portugueses principalmente, algunos ingleses, algunos franceses, que pronto llegaron hasta la India y navegaron a lo largo de África, jamás pensaron en crear colonias en el sentido propio de la palabra. Ellos creaban unos almacenes de intercambio comercial, iban a buscar mercancías y recibían mercancías a cambio. Negociaban, comerciaban, podía haber puntos donde hubiera diez, doce, quince familias de colonos, que eran familias de los mismos empleados de ese comercio, pero no había una noción de colonización.

España sí entra en América con la noción de colonización. Y el primer gran colonizador que entra en América después del descubrimiento es el hijo primogénito de Cristóbal Colón, don Diego Colón, que llega nada menos que con su esposa, doña María Toledo, que era sobrina del duque de Alba. Funda una pequeña corte renacentista en Santo Domingo, en cuyas calles paseaba a menudo aquel intelectual que era Gonzalo Fernández de Oviedo, que iba a ser el próximo cronista de Indias, y pronto se fundan universidades, se representan piezas teatrales.

Esta idea de colonización parece ya perfectamente afianzada, instalada. Pero la historia tiene sus sorpresas, y no se contaba con un elemento imprevisto: el de los esclavos africanos. Traídos del continente africano, el negro que llega a América aherrojado, encadenado, amontonado en las calas de buques insalubres, que es vendido como mercancía, que es sometido a la condición más baja a la que puede ser sometido un ser humano, resulta que va a ser precisamente el germen de la idea de independencia. Es decir que, con el transcurso del tiempo, va a ser ese paria, va a ser ese hombre situado en el escalón más bajo de la condición humana, quien nos va a dotar nada menos que del concepto de independencia. Esto merece una pequeña explicación.

Si tuviésemos un mapa donde pudiésemos encender un bombillo rojo dondequiera que ha habido sublevaciones negras, de esclavos negros, en el continente, encontraríamos que desde el siglo XVI hasta hoy no habría nunca un bombillo apagado, siempre habría un bombillo rojo encendido en alguna parte. La primera gran sublevación comienza en el siglo XVI en Venezuela, en las minas de Buría, con el alzamiento del negro Miguel, que crea nada menos que un reinado independiente que tenía hasta una corte y tenía incluso un obispo de una iglesia disidente creada por él.

Muy poco después, en México, se produce la sublevación de la Cañada de los Negros, tan temible para el colonizador que el virrey Martín Enríquez se cree obligado a imponer castigos tan terribles como la castración, sin contemplación de ninguna índole, sin juicio, para todo negro que se hubiera fugado al monte. Poco tiempo después surge el palenque de Palmares, donde los negros cimarrones del Brasil crean un reinado independiente que resistió a numerosas expediciones de colonizadores portugueses, y se mantuvo independiente durante más de sesenta años.

En Surinam, a fines del siglo XVII, se produce el levantamiento de los tres líderes negros Sant Sam, Boston y Arabí, contra el cual se rompen cuatro expediciones holandesas.

Hubo la Rebelión de los Sastres, en Bahía; hubo en Cuba la que encabezó Aponte, pero merece mención particular por su trascendencia histórica, el Juramento de Bois Caiman.

¿Qué fue el Juramento de Bois Caiman? En una noche tormentosa se reunieron en un lugar llamado Bois Caiman, o sea, Bosque del Caimán, las dotaciones de esclavos de la colonia francesa de Santo Domingo, hoy Haití, y juraron proclamar la independencia en su país, independencia que fue completada y llevada a plena realidad por el gran caudillo Toussaint Louverture, cuyo nombre es uno de los cinco que aparecen patrocinando en espíritu este Carifesta'79 que se está celebrando en La Habana.

Es curioso que con el Juramento de Bois Caiman nace el verdadero concepto de independencia. Es decir, que al concepto de colonización traído por los españoles a Santo Domingo, en la misma tierra se une el concepto de descolonización, o sea, el comienzo de las guerras de independencia, de descolonización, las guerras anticoloniales que habrán de prolongarse hasta nuestros días.

Me explico: cuando tomamos la gran Enciclopedia, la famosa enciclopedia redactada por Voltaire, Diderot, Rousseau y D'Alembert a mediados del siglo XVIII en Francia, y cuyas ideas tanta influencia tuvieron sobre los caudillos de nuestras guerras de independencia, nos encontramos que, en esa gran enciclopedia, el concepto de independencia tiene un valor todavía meramente filosófico. Se dice independencia, sí, independencia del hombre frente al concepto de Dios, frente al concepto de monarquía, el libre albedrío, hasta qué punto llega la libertad individual del hombre, pero no se habla de independencia política. En cambio, lo que reclamaban los negros de Haití –precursores en esto de todas nuestras guerras de independencia– era la independencia política, la emancipación total.

Yo sé que a esto surge una objeción, fácil. Muchos me dirán: ¡Un momento, el Juramento de Bois Caiman tiene lugar en 1791, pero ya mucho antes había habido la independencia de los Estados Unidos! ¡Pero quién lo niega! No hay que olvidar que cuando las trece colonias norteamericanas se emancipan de la autoridad del rey de Inglaterra y pasan a ser un país independiente que ya no es tributario de la colonia británica, no ha habido un cambio de estructuras en la vida de esas colonias: los terratenientes siguieron siendo los mismos terratenientes: los grandes propietarios, los grandes comerciantes siguieron viviendo exactamente como antes. A nadie le entró en la cabeza que pudiera haber una emancipación de esclavos. Para llegar a esa emancipación de esclavos habrá que esperar a la Guerra de Secesión. Es decir, que en los Estados Unidos se siguió como antes después de la proclamación de la independencia, después de Jefferson, después de George Washington.

¡Ah, pero es que en la América Latina no ocurrió lo mismo! Porque a partir de las revueltas de Haití, que fueron seguidas muy poco después por la serie de guerras de independencia que lograrían su victoria final en 1824, en la victoria de la batalla de Ayacucho, las estructuras de la vida, las estructuras sociales, variaban de una manera total y variaban de una manera total por la aparición en el primer lugar del escenario histórico de un personaje que políticamente no había sido tomado en cuenta si bien humanamente existía. Y ese personaje es el criollo. La palabra *criollo* aparece en viejos documentos americanos a partir del año mil quinientos setentitanto.

¿Qué cosa era el criollo? *Grosso modo* el criollo era el hombre nacido en América, en el continente nuevo, bien mestizo de español e indígena, bien mestizo de español y de negro, bien incluso sencillamente indios nacidos pero conviviendo con los colonizadores, o negros nacidos en América, es decir, no negros de nación. Ésos eran los criollos, entre los cuales, desde luego, el mestizo habría de ocupar una posición privilegiada. Sin embargo, el criollo se sentía postergado. Simón Bolívar, *el Libertador*, en ese documento trascendental que es la «Carta de Jamaica», uno de los documentos más importantes que nos ha dejado la historia de América, habla de la condición del criollo, incluso de clases acomodadas, en las épocas anteriores a las guerras de independencia que él promovió. Dice Bolívar: «Jamás éramos virreyes ni gobernadores, sino por causas muy extraordinarias, arzobispos u obispos pocas veces; diplomáticos, nunca; militares sino en calidad de subalternos: nobles sin privilegios reales. No éramos, en fin, ni magistrados, ni financistas, y casi ni aun comerciantes.»

La historia de América tiene una característica muy importante y muy interesante. Es una ilustración constante de la lucha de clases. La historia de América toda no se desarrolla sino en función de la lucha de clases. Nosotros no conocemos guerras dinásticas como las de Europa, guerras de sucesiones al trono; no conocimos guerras de familias enemigas como la guerra de los Cien Años, que fue una lucha de feudos; no conocimos las guerras de religión en el sentido estricto de la palabra. Nuestra lucha constante de varios siglos fue primero de la clase de los conquistadores contra la clase del autóctono sojuzgado y oprimido. Lucha del colonizador contra el conquistador, porque los colonizadores, que llegaron inmediatamente después de los conquistadores, trataron de bajarles las ínfulas a los conquistadores y de crear ellos una oligarquía, es decir, de ejercer la autoridad, y lograron destruir la clase de los conquistadores, que, como ustedes saben, terminaron casi todos pobres, miserables, asesinados, desterrados. Muy pocos tuvieron un fin feliz.

El colonizador se volvió la aristocracia, la oligarquía en lucha contra el criollo, el criollo definido por Bolívar en el párrafo que acabo de leer. Finalmente, con las guerras de independencia, fue la sublevación del criollo, del nativo de América, contra el español, que, según las latitudes, se llamó el godo, el mantuano, el chapetón, etcétera. Pero el criollo vencedor crea una nueva oligarquía contra la que habrán de luchar el esclavo, el desposeído y una naciente clase media que incluye casi la totalidad de la *intelligentsia*: intelectuales, escritores, profesores, maestros, en fin esa admirable clase media que va creciendo durante todo el siglo XIX hasta desembocar en el nuestro.

Y en esa fase de la lucha que habrá de prolongarse hasta mediados de este siglo y sigue aún, habrá de afianzarse el sentido nacional de los países americanos. Es decir, que el criollo, al vencer en todo el continente, empieza a buscar su identidad particular, y surge la noción de nacionalismo, y ese mundo criollo, ese mundo americano, se vuelve un mundo donde hay, con conciencia de serlo, venezolanos, colombianos, mexicanos, cubanos, centroamericanos y, más adelante, con los movimientos crecientes de independencia en las Antillas, surgirá la conciencia de ser jamaicano, martiniqueño, curazoleño, en fin, de las distintas islas que forman nuestro vasto mundo caribe y que ya han adquirido caracteres propios con conciencia de poseerlos.

En el siglo XX, los países de nuestra América, dotados de una fuerte conciencia nacional, lucharon y luchan contra el imperialismo, aliado de la gran burguesía criolla, por el logro de una independencia total, unida a un anhelo de progreso social. Y esta segunda parte del siglo XX se ha caracterizado y se caracterizará por la intensificación de esa lucha en todo ese ámbito del Caribe, lucha por una independencia total, independencia total ya lograda en Cuba.

Cuando consideramos el ámbito del Caribe quedamos atónitos ante la galería de grandes hombres que nos ofrece.

Citando tan sólo algunas personalidades porque no voy a hacer aquí un recuento enciclopédico, nos encontramos con figuras como Francisco de Miranda, el precursor de todas las independencias americanas, nacido en Venezuela; Simón Rodríguez, maestro del libertador Bolívar, aquel que decía: «La América no ha de imitar servilmente sino ser original», noción de originalidad, noción de nacionalidad; Simón Bolívar, no he de hablar de su gesta: es demasiado conocida para que yo me extienda en ella. (No olvidemos que fue apoyado en su guerra por el almirante Brion, que era de Curazao.) Se va haciendo cada vez más la integración del Caribe. Toussaint Louverture era el héroe nacional, el libertador de Haití. Petión, presidente de Haití, fue aquel que pidió a Bolívar, a cambio de la ayuda moral y de la ayuda material en su guerra, la abolición de la esclavitud en Venezuela, que, si bien no se produjo inmediatamente, fue una de las primeras en producirse. Heredia, el gran poeta romántico, el más grande poeta romántico, que era cubano, y era hijo, sin embargo, de venezolano, del gerente Heredia de Venezuela. Máximo Gómez sabemos que era dominicano. Los padres de los Maceo habían peleado en la guerra de independencia de Venezuela. Hostos nos viene de Puerto Rico; Finlay, cubano, y desde luego no olvidamos en esta enumeración muy somera al inmenso José Martí, cuyo pensamiento precursor habría de animar la gesta del Moncada, que, guiada por el comandante Fidel Castro, otra egregia figura de nuestro mundo caribe, habría de culminar en la Revolución Cubana, que pudo celebrar este año el vigésimo aniversario de su irreversible afirmación, de su triunfo ejemplar.

Los grandes hombres cuyos nombres acabo de citar vienen a demostrar que existe lo que podríamos llamar un humanismo caribe. Nuestros grandes hombres nunca limitaron su acción, su pensamiento, su ejemplo, al ámbito propio, sino que se proyectaron hacia los pueblos vecinos. Hubo intercambio de hombres como hubo interpretación de ideas. Hubo siempre entre nosotros un anhelo de entendimiento mutuo dentro de aspiraciones que nos eran comunes. No olviden ustedes que la trayectoria americana de José Martí, esa que lo lleva de Venezuela a Centroamérica, México, a los Estados Unidos, desde luego, Tampa y Cuba, es una trayectoria que, quitando el tiempo que vivió en Nueva York y el viaje que realizó a Europa, su trayectoria política e histórica inmediata es la que va a culminar en nuestra guerra de independencia decisiva, se desarrolla en el ámbito todo del Caribe. ¡Y cuántas páginas emocionadas, cuántas páginas llenas de veracidad, llenas de hondo amor, no ha escrito Martí sobre Venezuela, sobre Guatemala, sobre México, sobre los países del Caribe en general!

Ha habido siempre dicho intercambio de hombres: Máximo Gómez, peleando por la independencia de Cuba; un cubano, Francisco Javier Yanes, firma el acta de independencia de Venezuela... Los ejemplos son incontables. El lugarteniente favorito de Maceo, Aurrecochea –lo llamaban el mambí venezolano–, era venezolano. Hubo intercambio de hombres, hubo comunidad de ideas, y por ello es que el Caribe, con las zonas continentales de México, las zonas de la tierra firme de Venezuela, de Colombia, las mismas zonas por extensión que fueron habitadas, que fueron pobladas por esclavos africanos traídos del continente en el mismo proceso de colonización, como los hallamos en el Perú, como los hallamos en Guayaquil, como los hallamos en el Brasil, también vienen por extensión a formar parte de ese conglomerado caribe que empezamos a ver en su conjunto y que empezamos a entender en su conjunto.

De ahí que Carifesta'79 es algo más que un conjunto de regocijos y de músicas, es algo más que una fiesta, es algo como un ritual de identificación. Habrá días de alegrías, de danzas, de holgorios, pero días que serán algo más, porque en ellos podremos confrontar lo que nos une y lo que nos distingue, lo que nos hace semejantes y a la vez que nos singulariza, lo particular y lo general, lo que es genuinamente de unos y lo que es patrimonio de todos.

Mucho de esto sabremos gracias a las jornadas artísticas de este Carifesta'79 que habrá de celebrarse ahora en Cuba. Cinco hombres egregios, cinco grandes humanistas de nuestro ámbito caribe habrán de presidir en espíritu esta jornada: Simón Bolívar, Toussaint Louverture, Benito Juárez, José Martí y Marcus Garvey. Cinco humanistas, cinco guiadores de pueblos que hubiesen podido aplicar al ámbito caribe que les era propio las palabras que nuestro Apóstol dirigía a la América toda: «Estoy orgulloso de mi amor a los hombres, de mi apasionado afecto a todas estas tierras preparadas a común destino por iguales y cruentos dolores.»

El Caribe es una espléndida realidad y su común destino no deja lugar a duda. Tomar conciencia de la realidad del Caribe es ampliar y completar la conciencia de una cubanía exaltada por el triunfo de nuestra Revolución, cubanía que se inscribe en un ámbito geográfico que desempeñó un papel primordial y decisivo en la historia de América, nuestra América, la América de José Martí.

UNA GRAN FIESTA DEL CARIBE*

El gran turismo internacional está empezando a «descubrir» el vasto y maravilloso mundo del Caribe. Por barcos de crucero, por aviones de líneas regulares, por innumerables «charters» llegan ahora los vi-sitantes a las islas y costas del ámbito geográfico caribeño, enterándose, con asombro, de su amenidad, de su riqueza en expresiones propias, de la calidad de sus artes populares. Lo que, por identidades de clima, una vegetación parecida, la omnipresencia de un mismo mar, pudiese haberse presentado a la imaginación, de primer intento, como algo desprovisto de diversidad, se nos muestra, por el contrario, en el esplendor de una policromía que incluye todos los contrastes y matices posibles... A sabiendas de que pueden contar, a pocas horas de vuelo, con un sol inamovible, ausente de sus nieves septentrionales, los miles de turistas canadienses que acuden a La Habana cada invierno, ven cosas muy distintas a las que podrán ver, pocos meses después, los veraneantes franceses atraídos a las islas de la Guadalupe o la Martinica por la comunidad del idioma... Las Antillas que fueron holandesas en nada se parecen a las que fueron británicas. Hay Antillas montañosas, de atormentados relieves, y hay Antillas de quieto perfil, apenas sobrealzadas sobre el nivel de las olas que las

* Se publica por vez primera en esta edición. *(N. del E.)*

circundan. Poco tiene que ver la arquitectura de Barbados –que conserva espléndidas residencias de un estilo romántico inglés– con las calles casi neerlandesas de Curaçao. Poca semejanza hay entre las suaves playas de la Guadalupe y los dramáticos paisajes de Aruba, donde se yerguen árboles de piedra –coladas de lava repentinamente inmovilizadas, por un misterioso fenómeno geológico, en el instante mismo de un encrespamiento que les comunicaba un fantástico aspecto vegetal. Y luego están los «saris» indostánicos de Trinidad; las ajorcas y pañuelos a grandes cuadros, de las mulatas martiniqueñas; las blusas tornasoladas, los encajes, los zapatos de tacón para taconear, de las mujeres de aquí o de allá... Y toda una humanidad que canta y baila, canta y tañe, con una increíble diversidad de instrumentos de percusión que se escalona entre los gigantescos tambores *djukka* de algunos lugares (el mismo que en Venezuela llaman *mina*) y las fabulosas *steel-band* de Trinidad y Barbados, donde con las tapas metálicas de barriles de petróleo, achichonadas a martillazos, han logrado los músicos locales producir tantas notas que, por demostrar su prodigioso virtuosismo, llegan a ejecutar, entre toques y marchas de holgorio, algún *Allegro* de Juan Sebastian Bach –aunque con ritmo caribeño, se entiende, y sin mayor pecado en ello que el que consiste en pasar Franz Liszt al *rock*, como lo hacen ciertas orquestas de otras partes... ¡Tierras de la rumba, de la «plena», de la «biguina», del «reggae», del «calipso»! Tierras que merecerían muy justamente el título de «Islas Sonantes» que Rabelais había dado a unas islas imaginarias visitadas por los héroes de su gran novela de Gargantúa y Pantagruel...

¡Islas Sonantes todas! Pero «islas sonantes» que algún día tendrían que sonar de concierto, todas juntas, en un lugar determinado, a modo de *rito de identificación* caribeño, donde cada voz pusiese su acento peculiar... La idea estaba «en el aire» –como suele decirse– cuando, en 1966, el primer ministro de Guyana, Forbes

Burnham, tuvo la feliz iniciativa de planear un Festival de las Artes Creativas del Caribe, que recibiría el nombre de Carifesta. El propósito fue madurando, y así, el primer *Carifesta* tuvo lugar, en la propia Guyana, en 1972. El segundo se celebró en Jamaica, en 1976, con una extensión del concepto insular de lo caribeño a las costas y regiones de América que hubiesen sido marcadas por idénticas o semejantes herencias culturales.

Y ahora, durante seis días, los teatros y las calles de La Habana fueron el lugar de presentación del *Carifesta 1979*. ¡Seis días de danzas, de ritmos, de percusiones, de cantos, de orquestas y desfiles, que reunieron más de dos mil artistas de formación popular o académica, procedentes de todas las islas y tierras firmes del mundo caribe!... Al considerar la vastedad de ciertos teatros habaneros –el «Carlos Marx», el «América», el «García Lorca»...– yo no creía posible que hubiese público suficiente, en la capital cubana, para que tales salas estuviesen repletas cada día, en representaciones ofrecidas *simultáneamente*, a las mismas horas. Y, sin embargo, se realizó el milagro. Y así, conocimos nuevas interpretaciones del joropo venezolano (sin olvidar a Fredy Reyna, extraordinario virtuoso del típico «cuatro»); escuchamos un conjunto de Barbados cuya cantante, mulata de maravillosa voz, imprimió muy naturalmente su ritmo antillano a una canción de Claude François, transfigurándola en «calipso»; vimos aclamar a los «mariachis» mexicanos, los percusionistas jamaicanos, las danzarinas, vestidas de encajes, de Panamá, y, cierta noche, electrizado por una alegre «cumbia», los espectadores habaneros salieron bailando del teatro, tras de los artistas colombianos, acabándose la fiesta, a altas horas, en gran regocijo de gentes asomadas a las ventanas y balcones. Y, para cerrar este *Carifesta 1979*, fue el gran Carnaval Habanero, donde se presentaron todos los conjuntos reunidos.

Si esos días fueron de fiesta y alegría, debe decirse que fueron también, para más de uno, días de cátedra y enseñanza... Porque, en verdad, maravilla era descubrir que, en el ámbito del Caribe, existían tales reservas, tantas riquezas, tal diversidad, de músicas y de danzas populares, destinadas a invadir el mundo en años próximos, como ya lo invadieron el jazz y los ritmos cubanos en las primeras décadas de este siglo.

IV

IDENTIDAD AMERICANA

CONCIENCIA E IDENTIDAD DE AMÉRICA

Los latinoamericanos de mi generación conocieron un raro destino que bastaría por sí solo para diferenciarlos de los hombres de Europa: nacieron, crecieron, maduraron, en función del concreto armado... Mientras el hombre de Europa nacía, crecía, maduraba, entre piedras seculares, edificaciones viejas, apenas acrecidas o anacronizadas por alguna tímida innovación arquitectónica, el latinoamericano nacido en los albores de este siglo de prodigiosos inventos, mutaciones, revoluciones, abría los ojos en el ámbito de ciudades que, casi totalmente inmovilizadas desde los siglos XVII o XVIII, con un lentísimo aumento de población, empezaban a agigantarse, a extenderse, a alargarse, a elevarse, al ritmo de las mezcladoras de concreto. Parecida a La Habana de Humboldt era todavía la que transité en mi infancia; el México que visité en 1926 era, todavía, el de Porfirio Díaz; muy semejante aún a la Caracas que describió José Martí, fue la Caracas que conocí en 1945.

Y, de repente, he aquí que las amodorradas capitales nuestras se hacen ciudades de verdad (anárquicas en su desarrollo repentino, anárquicas en su trazado, excesivas, irrespetuosas, en su afán de demoler para reemplazar) y el hombre nuestro, consustanciado con la urbe, se nos hace hombre-ciudad, hombre-ciudad-del-siglo-XX valga decir: hombre-Historia-del-siglo-XX, dentro de poblaciones que rompen con sus viejos marcos tradicio-

ofrece esta noche. Decir que estoy emocionado es poco. Mejor y más valedero es decir que esta noche quedará inscrita en cifras capitales en la cronología de mi existencia, ahora que acabo de doblar el temible cabo de los setenta años en el reino de este mundo... E inútil resulta decir que agradezco profundamente a mi amigo Alexis Márquez Rodríguez las palabras que acerca de mi persona, trayectoria y obra, acaba de pronunciar.*

Y se las agradezco tanto más, si se tiene en cuenta que ha dicho cosas, acerca de mí, que pertenecen a la categoría de aquellas que no puede pronunciar un escritor, acerca de sí mismo, habiendo de esperar que la sagacidad crítica de otros subraye ciertos hechos que tienen una enorme importancia para la persona, objeto de la crítica. Señaló Alexis Márquez Rodríguez, para satisfacción mía, lo confieso, que en mis escritos –desde los de mi primera juventud– se observa una cierta unidad de propósitos y de anhelos. Valga decir que poco me aparté de una trayectoria ideológica y política que ya se había afirmado en mí cuando, allá por el año 1925, escribí un artículo sobre la admirable novela soviética *El tren blindado 14-69*, de Vsevolod Ivánov, donde decía lo que podría repetir ahora si hubiese de expresar mi pensamiento, mis convicciones, ante el proceso y las contingencias de la época que ahora estamos viviendo... Es cierto –me enorgullezco de ello– que tuve una temprana visión de América y del porvenir de América (me refiero, desde luego, a aquella América que José Martí llamara «Nuestra América»)... Pero... ¿En esto tenía yo acaso mucho mérito?... No lo creo. Tuve suerte, eso sí. La maravillosa suerte de haberme topado, al llegar a La Habana, lleno de juveniles ambiciones, luego de una infancia campesina, con hombres a quienes pude considerar en el acto –a pesar de su juventud– como maestros

* Discurso pronunciado por Alejo Carpentier en el Aula Magna de la Universidad Central de Venezuela el 15 de mayo de 1975, en el acto que en su honor fue organizado por la misma universidad, el Ateneo de Caracas, la Asociación de Escritores Venezolanos y la Asociación Venezolana de Periodistas.

verdaderos. Y esos maestros fueron Julio Antonio Mella, el admirable, que, tempranamente madurado por las agitaciones universitarias de la época, fundó, en 1925, con Carlos Baliño, el Partido Comunista de Cuba; Rubén Martínez Villena, magnífico poeta que, un buen día, renunció a todo halago literario para consagrarse a una lucha que fue determinante en el proceso revolucionario que condujo al derrocamiento y fuga del dictador Gerardo Machado, en 1933; Juan Marinello, hoy más activo y enérgico que nunca, a pesar de haber doblado, hace tiempo, el cabo de los setenta años –entregado totalmente al servicio de la Revolución con la que siempre había soñado– y que me reveló la grandeza y la profundidad de la obra martiana que (triste es reconocerlo) era bastante poco conocida en la Cuba de los años veinte, por no existir aún, de esa obra, ediciones satisfactorias ni completas... Con tales maestros anduve, y junto a ellos aprendí a pensar. Y resulta interesante recordar que, ya en 1927, podía yo firmar con tales hombres un manifiesto premonitorio, donde nos comprometíamos a laborar:

Por la revisión de los valores falsos y gastados.

Por el arte vernáculo y, en general, por el arte nuevo en sus diversas manifestaciones.

Por la reforma de la enseñanza pública.

Por la independencia económica de Cuba, y contra el imperialismo yanqui.

Contra las dictaduras políticas unipersonales en el mundo, en América, en Cuba.

Por la cordialidad y la unión latinoamericanas.

Al firmar este documento no nos atrevíamos a soñar con que, estando todavía en vida, veríamos realizados tales anhelos que se nos mostraban sumamente lejanos, remotos, contrariados de antemano –lo creían muchos–

por una fatalidad geográfica, y que veríamos cumplidos, en el alba del año 1959, con el triunfo de la Revolución Cubana, y la reafirmación de ese triunfo en la decisiva y trascendental Batalla de Playa Girón, primera gran victoria de una nación de nuestra América mestiza (como la llamara más de una vez, con orgullo, José Martí) contra el más temible de los imperialismos... («El del gigante con botas de siete leguas que nos desprecia»... –y vuelvo a citar a José Martí.)

Algunos se sorprendieron, lo sé, de que en los comienzos del año 1959, hallándome tan feliz entre vosotros, estando tan incorporado a la vida venezolana, habiendo aprendido tanto de vuestra naturaleza, de vuestra historia, de vuestras tradiciones tan profundamente latinoamericanas, haya roto bruscamente con una trayectoria venezolana de catorce años, para regresar repentinamente a mi país... Pero había voces que me llamaban. Voces que habían vuelto a alzarse sobre la tierra que las había sepultado. Eran las voces de Julio Antonio Mella, de Rubén Martínez Villena, de Pablo de la Torriente Brau, de tantos otros que habían caído en una larga, tenaz y cruenta lucha. Y eran las voces, vivas aún, y bien vivas, de Juan Marinello, de Nicolás Guillén, de Raúl Roa, y de tantos más que habían entregado su energía, su experiencia, sus conocimientos, su entusiasmo, a la gran obra revolucionaria que se había venido gestando desde la histórica y trascendental jornada del 26 de julio de 1953, con el asalto al Cuartel Moncada, mandado por quien, interrogado meses después acerca de los móviles inspiradores de acción, habría de responder sencillamente:

«Fuimos guiados por el pensamiento de José Martí.»

Oí las voces que habían vuelto a sonar, devolviéndome a mi adolescencia; escuché las voces nuevas que ahora sonaban, y creí que era mi deber poner mis energías, mis capacidades –si es que las tenía– al servicio del gran quehacer histórico latinoamericano que en mi país se estaba llevando adelante.

Y ese quehacer estaba profundamente enraizado en la historia misma de Cuba, en su pasado, en el pensamiento ecuménicamente latinoamericano de José Martí, para quien nada que fuese latinoamericano hubiese sido nunca ajeno. Respondía a una tradición que se remontaba a los días en que un primer intento de liberación de Cuba, mediante una guerra anticolonial contra el poderío español se hubiese gestado en el seno de una sociedad secreta que no por mera casualidad ostentaba el nombre de «Los Rayos y Soles de Bolívar»... De ahí que, ante la elocuente imagen de un pasado cristalizado en acción presente, en realidad actual y tangible, se hubiese intensificado de tal modo, en la Cuba de hoy, no sólo el estudio de la historia de la patria, sino la historia toda del continente, convencidos como lo estamos de que nada latinoamericano puede sernos indiferente, y que las luchas, los logros, los dramas, las caídas y los triunfos, de las naciones hermanas del continente, son acontecimientos que nos conciernen directamente, y promueven nuestro júbilo o nuestra congoja, según se ofrezcan al mundo para motivo de gozo o de momentáneo desconsuelo.

No sé hasta qué punto los jóvenes latinoamericanos de hoy se complacen en el estudio sistemático, científico, de su propia historia. Es probable que la estudien muy bien y sepan sacar fecundas enseñanzas de un pasado *mucho más presente de lo que suele creerse*, en este continente, donde ciertos hechos lamentables suelen repetirse, más al Norte, más al Sur, con cíclica insistencia. Pero, piensen siempre –tengan siempre presente– que, en nuestro mundo, no basta con conocer a fondo la historia patria para cobrar una verdadera y auténtica conciencia latinoamericana. Nuestros destinos están ligados ante los mismos enemigos internos y externos, ante iguales contingencias. Víctimas podemos ser de un mismo adversario. De ahí que la historia de nuestra América haya de ser estudiada como una gran unidad, como la de un conjunto de células inseparables unas de otras, para acabar de entender realmente *lo que somos, quiénes somos, y qué papel es el que habremos de desempeñar en la realidad que nos circunda y da un sentido a nuestros destinos*. Decía José Martí en 1893, dos años antes de su muerte: «Ni el libro europeo, ni el libro yanqui nos darán la clave del enigma hispanoamericano», añadiendo más adelante: «Es preciso ser a la vez el hombre de su época y el de su pueblo, pero hay que ser ante todo el hombre de su pueblo.» Y para entender ese pueblo –esos pueblos– es preciso conocer su historia a fondo, añadiría yo.

En cuanto a mí, a modo de resumen de mis aspiraciones presentes, citaré una frase de Montaigne que siempre me ha impresionado por su sencilla belleza: «No hay mejor destino para el hombre que el de desempeñar cabalmente su oficio de Hombre.»

Ese *oficio de hombre,* he tratado de desempeñarlo lo mejor posible. En eso estoy, y en eso seguiré, en el seno de una revolución que me hizo encontrarme a mí mismo en el contexto de un pueblo. Para mí terminaron los tiempos de la *soledad*. Empezaron los tiempos de la *solidaridad*.

Porque, como bien lo dijo un clásico: «Hay sociedades que trabajan para *el individuo*. Y hay sociedades que trabajan para *el hombre*.» Hombre soy, y sólo me siento hombre cuando mi pálpito, mi pulsión profunda, se sincronizan con el pálpito, la pulsión, de todos los hombres que me rodean.

ÍNDICE